U0108024

三國歸晉

導讀文字：金　朝

繪　圖：李成立

萬里機構・萬里書店出版

編輯：莊澤義・王淑萍
書名題簽：黃　天

⑩「古書今讀」之《漫畫三國演義》系列
三國歸晉
導讀文字
金　朝
繪　圖
李成立
出版者
萬里機構・萬里書店
香港九龍土瓜灣馬坑涌道5B-5F地下1號
電話：25647511
網址：http://www.wanlibk.com
電郵地址：wanlibk@enmpc.org.hk
發行者
萬里機構營業部
香港九龍土瓜灣馬坑涌道5B-5F地下1號
電話：25623879　　傳真：25909385
承印者
美雅印刷製本有限公司
出版日期
一九九五年七月第一次印刷
一九九九年八月第五次印刷
版權所有・不准翻印
ISBN 962-14-0975-6

古書今讀叢書

我們的國家，有著數千年的文明。這數千年的文明，用各種各樣的方式記載下來，我們在神州大地上遊覽，為甚麼腳步不時會不由自主地再三猶疑，不忍遽然離去？那就是因為，中華民族的數千年文明以各種面貌出現在我們的跟前，或者是肅立的一個亭子，或者是既流動又凝固了的書法，或者是一彎雖然巳經老去卻仍在努力的小橋，甚至，那不過是一塊不起眼的殘片，只是，對我們來説，這巳經足夠。

我們當然不會忽略書籍這樣的一種載體。能夠一直流傳下來的老書，就是古書了。古書，我們不會嫌多；事實上，流傳下來的古書也是不多的。這事情裏面，有著一種必然，那是大浪淘沙的必然。大浪，沒有把一切都淘空淘盡，而且讓我們曉得了，甚麼是值得好好珍惜的寶貝。

文明與智慧同在，文明也與寬容同在。時間的流灑，是一種滋潤，使我們的寶貝愈發有著動人的光澤，愈是親炙這樣的寶貝，我們便愈是容光煥發。「古書今讀叢書」出版的目的，便是希望藉著這套叢書的出版，使更多的讀者能親炙這樣的寶貝，得到不同程度的潤澤。由於種種原因，今人讀古書，會有這樣那樣的困難，成為一種阻隔，所以我們以導讀文字輔以漫畫的方法，構築成一彎「拱橋」，讓讀者能愜意地走過去，只要一伸手，就可以觸及那光澤。毫無疑問地，構築這樣的一道「拱橋」，是一項大工程。我們不希望曲解古書，也不要隨意或任意的所謂闡釋，但與此同時，又要於讀者有用，因為這樣，工夫就多了。工夫雖然多，我們樂於這樣去做，同時深願讀者也樂於見到這套叢書的出版，甚麼時候，也為這「拱橋」鼓鼓掌。

出版説明

三國歸晉

姜維
諸葛瑾
晉公司馬昭

《三國演義》主要人物

名、字、號簡表

名	字	號，以及書中對他的其他稱呼
劉備	玄德	劉皇叔、劉豫州、先主
關羽	雲長	美髯公、漢壽侯
張飛	翼德	
董卓	仲穎	董太師
呂布	奉先	呂溫侯
曹操 （小名：阿瞞）	孟德	老瞞、曹老瞞
孫策	伯符	小霸王
孫權	仲謀	碧眼兒
徐庶	元直	
諸葛亮	孔明	伏龍、卧龍先生、武鄉侯
趙雲	子龍	
魯肅	子敬	
周瑜	公瑾	周郎、周都督
黃蓋	公覆	
龐統	士元	鳳雛先生
張遼	文遠	
魏延	文長	
黃忠	漢升	
馬超	孟起	
楊修	德祖	
司馬懿	仲達	
龐德	令明	
呂蒙	子明	
陸遜	伯言	
曹丕	子恒	
姜維	伯約	
劉禪	小字阿斗，公嗣	後主
廖化	元儉	
鍾會	士季	鍾司徒
鄧艾	士載	

目次

「古書今讀叢書」出版說明 1

《三國演義》主要人物名、字、號簡表 4

一 謀殺曹爽 7

冥冥中誰主浮沉 8

曹爽一下子得了兵權 8

司馬懿大驕曹爽之心 8

天下太平可能是警號 9

如何識別上策與下策 10

為甚麼一切都保不住 10

二 丁奉短刀破敵 27

勢弱與天氣壞的積極因素 28

孔明尚不能勝的束縛 28

三十年一變的大模式 28

雪地三千兵的戰鬥力 29

不可理喻裏的必然性 30

因地制宜因時作調整 30

三 鐵籠山 41

怎樣看得出是要害之處 42

不自知竟是合情合理 42

名師與高徒的非必然 42

木牛流馬再度顯神通 43

糧道上有無盡的兇險 44

覷準要害處狠狠一擊 44

四 狄道城 63

誰能深曉進進退退的奧妙 64

雖位高權重也不由人 64

姜維步孔明之後創業 64

姜維出師取背水而戰 65

在再退不得的時候進 66

以退為進再進卻得敗 66

五 義討司馬昭 85

立體視野與眼前大空間 86

鄧艾鍾會北魏二能人 86

司馬昭恩德未及四海 86

到底是不是只差一步 87

古之用兵者全國為上 88

人心不穩是攻城時機 88

六 定計斬孫綝 107
怎樣才可以做得成大事 108
有小聰明而欠缺雄風 108
商量大事的第一要訣 109
做甚麼事便找甚麼人 109
觸到要害處的十二字 110
有計略有魄力夠決斷 111

七 鬥陣破鄧艾 119
求變之法和應變之道 120
陣腳未穩卻能夠應變 120
正兵對陣得勝靠奇兵 120
在擺陣的基礎上求變 121
將計就計另軍襲其後 122
棋高一着則縛手縛腳 122
如此相似說明了甚麼 123

八 弒曹髦 139
在悲劇面前的自我審視 140
瞻前顧後原是不容易 140
內部不協調的大價值 141
寫潛龍詩者並非潛龍 141
匹夫之勇與王者之風 142
如此不是笑話的笑話 143

九 蜀國滅亡 155
一場悲劇的完結 156
距離帶來的轉圜之機 156
鄧艾鍾會二子不合兵 156
氣量比本事更為重要 157
諸葛瞻父子臨危受命 158
欠缺韜略也欠缺魄力 158

十 三國歸晉 179
於今可不戰而克敵矣 180
為何投鍾會不投鄧艾 180
螳螂捕蟬黃雀卻在後 180
敗軍之將而可以言勇 181
因坐上帝位而變了樣 182
羊祜清廉一心只為公 183
大智大勇者談笑用兵 183

一

謀殺曹爽

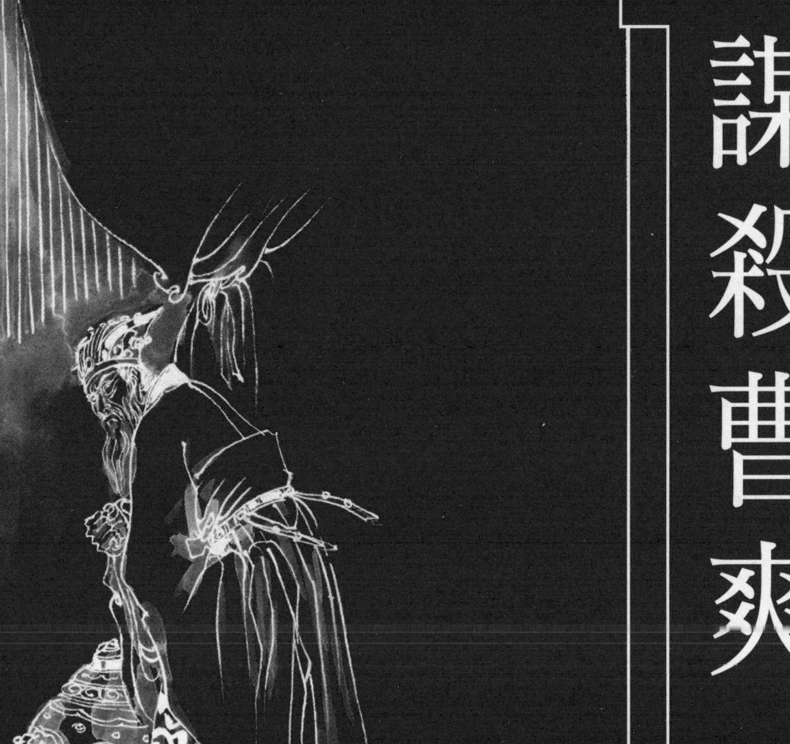

冥冥中誰主浮沉

北魏的曹叡漸漸變得驕橫無度，羣臣苦諫，也不見效果，國力也由此而下降，一些事變亦由此而來。

曹爽一下子得了兵權

到了曹叡三十六歲的時候，得了大病，他自知不久於人世，便作了一番安排，託孤於太尉司馬懿，再召過去的大都督曹眞的兒子曹爽攝政。

曹叡死後，其幼子、年僅八歲的曹芳便登上皇位。

曹爽初時本來與司馬懿是相處得不錯的，對司馬懿也頗爲尊重，可是，他的智囊對他說，司馬懿曾叫曹眞屢屢受氣，甚至曹眞的死與此也是大有關係的。曹爽聽了，便要對付司馬懿，結果是讓司馬懿當上了太傅，曹爽得掌兵權，司馬懿自此稱病不出。

司馬懿大驕曹爽之心

曹爽這樣做，顯然不是明智之舉。過去的是與不是，不能成爲今天處事的主要標準，更不能成爲唯一的標準；而且，司馬懿並非等閒之輩，曹爽也知道他是「功高德重」，那便應該同時估計得到，奪他的兵權不是一個好辦法了。我們絕對可以說，這不是做大事之道。

司馬懿讓曹爽輕易地奪去兵權，繼而稱病不出，完

全是策略上的需要，也可以說是合符了兵法的；這樣做，是驕曹爽之心，並且使曹爽覺得，司馬懿的存在，不是一個障礙，只有這樣，才會好做事，而且會在最後得到最多。曹爽派人去看司馬懿的病情，司馬懿裝聾作啞，還要加上「聲嘶氣喘」，表現出一副危在旦夕的樣子。

天下太平可能是警號

曹爽果然因此大為放心，從此視司馬懿如無物。他不曉得的是，司馬懿已經因此踏上了成功反擊的一步了。

這裏，我們也可以說，一個人是很容易被自己的感覺所欺騙的。倘若我們同意了這一點，那末，我們便得時刻告誡自己：當我們感到天下太平的時候，便得認眞地檢查一下，是否有甚麼地方是不妥的；「天下太平」的這種感覺，可能就是一種警號。

曹爽就是做不到這樣，他還以為眞的是天下太平，所以，他才會與兄弟三人一起，請魏主曹芳去祭祀先帝；謀臣勸諫曹爽，不宜兄弟皆出，否則，倘城中有變，便措手不及。如果說，能把「天下太平」看成是一種警號，是很不容易的，那末，像這位謀臣所發出的警號，本來是足夠明顯的了，然而曹爽還是聽不進，那到底又爲了甚麼呢？

如何識別上策與下策

「兼聽則明，偏聽則暗」①，古賢也屢屢提醒我們，怎樣才不會自我蔽塞，然而，我們的蔽塞，卻偏偏是自己一手所做成的多。一個欠缺了自省力的人，更是特別的容易自我蔽塞，不見天日。

曹爽兄弟一起出城，是司馬懿等待已久的一個大好機會，當然不會輕輕放過，他馬上行動起來，對曹爽在城裏所餘的勢力一一禁制，但因爲給曹爽的謀士桓範跑了，司馬懿便一面上表給曹芳，一面派人對曹爽說，他那樣做，只是爲了削曹爽的兵權，別無他意。

年幼的曹芳自己當然應付不了這樣的一樁大事，他問計於身邊的曹爽，桓範力主曹爽應借着自己與魏主在一起的這末一個勢，先與曹芳前往許都安駐下來，然後號令天下，調外兵來討伐司馬懿，這才是上策；而聽從司馬懿的話，回到京城去，則必死無疑，是下下之策。

爲甚麼一切都保不住

曹爽不知如何是好。他的考慮是，自己的家人都在城裏，怎可以跟司馬懿對抗？他的二弟則認爲，在這末

①兼聽則明，偏聽則暗：能聽取多方面的意見，就可以明辨是非，單信一方面的話必然昏憒糊塗。

一個情況下，所能夠做的事，就是自縛以求生了。曹爽考慮了整整一個晚上，終於擲劍表示，他不起兵，今後能當一個「富家翁」，於願足矣。

曹爽就是這樣的左傾右倒，因此斷送了自己的一切，先是不適當地把司馬懿推往一個盡頭而又掉以輕心，反過來逼使對方作狠狠的反擊而又得到了這樣的時間和機會；然後又不適當地選擇了另一端，交出了兵權，回到京城，以爲可以保住家人，以爲還可以當一個「富家翁」，結果自然是人財兩空，司馬懿是把他的一切都要了。

曹爽如果聽了桓範的意見而從事，有天子曹芳在手，說不定可以與司馬懿討價還價，能保住許多東西——其實，這早就有曹操的「挾天子以令諸侯」的成功先例可供參考。不過，說到底，一個人的命運，最後還是得交由眼光、氣魄和處事的法度等等去決定的，起碼，曹爽的命運就是這樣。

曹爽家裏養着很多賓客，其中最信任的有何晏、鄧颺、李勝、丁謐、畢軌等人。
魏景初三年，魏主曹叡病亡，年僅八歲的魏少帝曹芳即位，由大將軍曹爽和太尉司馬懿輔政。
人稱「智囊」的大司農桓範，也和曹爽交情很深。
好！
明升暗降，奪去他的兵權。
一天，何晏勸說曹爽。
司馬懿掌握着兵權，可能會發生禍患。
那怎麼辦？

司馬懿功高德重，可進爵太傅。
好的，把他召來。

朕加封你爲太傅。
臣謝恩。

走着瞧！總有一天，我會把兵權奪回來。
從此，司馬懿裝作在家養病，等待時機。

司馬懿把指揮兵權的印信交給曹爽。

何宴、鄧颺、丁謐、李勝等也做了大官。
曹爽掌了兵權，封他的弟弟曹義、曹訓、曹彥爲將軍，負責保衛宮廷。
哥哥，你要防人暗算！
兵權在我手裏，怕甚麼？
曹爽整日沉湎在酒色玩樂之中。
他還常常帶人出城打獵，數日不回府。

幾年後，李勝被少帝任命爲荊州刺史，來向曹爽辭行。
你去向太傅辭行，探察一下情況。

大司農桓範也常常勸諫，曹爽不肯聽從。

他並非來辭行，是來摸底的。
李勝前來辭行。

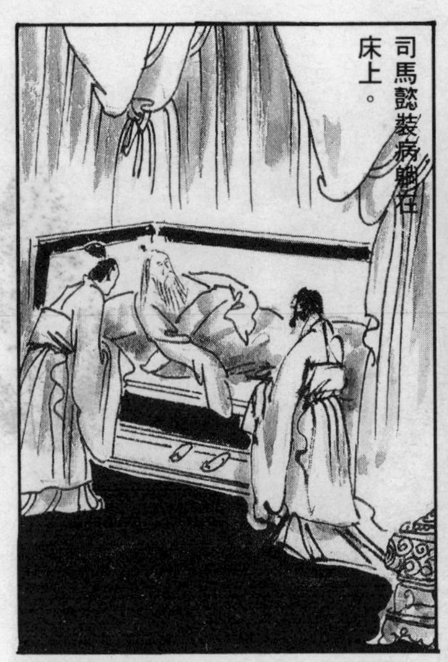
司馬懿裝病躺在床上。

我去荊州上任，特來辭行。
并州靠近匈奴，好好防備。

不是并州，是荊州。
唔！你從荊州來？

太傅怎麼啦？
家父大病一場，耳朵聾了。

李勝把來意寫在紙上，給司馬懿看。
噢！你去荊州任刺史，一路保重。

我年老體弱，恐怕活不長了，你見到大將軍，請他千萬照顧我的兩個兒子。
他喘着粗氣，似乎快支持不住了。
他喝茶時又故意哆哆嗦嗦
司馬懿死期不遠，我可以高枕無憂了。
李勝回去稟告曹爽。

不久，曹爽四兄弟帶着御林軍護衛少帝出城，祭掃明帝墓、打獵。

大將軍，你們全都出了城，萬一城中有變，怎麼辦？
哪一個敢生事，你別胡說！
曹
曹爽不聽桓範勸諫。

他下令關閉了所有城門，接收了曹爽和他弟兄們的軍營。

司馬懿獲悉曹爽等出城。
時機到了，可以動手了。

他帶着太尉蔣濟、尚書令司馬孚到後宮朝見太后。
曹爽奸邪亂國，應該罷他的官。
太傅看着辦吧！
太后慌得沒有主張。

曹爽手下司馬魯芝
和參軍辛敞得到
消息，殺出東門，
去向曹爽報告。

司馬懿得悉
桓範出城。
「智囊」
跑了，
糟了！

司馬懿立刻讓蔣濟和
司馬孚寫了一道奏章，
派黃門官送給少帝。

曹爽優柔寡斷，不會採用桓範的計策，現在先要設法把曹爽騙回城來。
對！

桓範也假借太后
的名義，懷藏大將
軍印，逼守門的老部下
司蕃開了城門。

你和曹爽很有交情，你告訴他說，我對天立誓，只爲爭奪兵權，決沒加害之意。
你倆去見曹爽，說我只想削除他的兵權別無他意。
司馬懿先派侍中許允、尚書陳泰去穩住曹爽。
他又吩咐殿中校尉尹大目。
這時，已祭掃完畢，曹爽等正在放圍打獵。
太傅有表啓奏皇上。

奉太后旨意，曹爽等交出兵權，革職查辦……

曹爽急得手足無措。
大將軍，你看怎麼辦？

二弟，你看怎麼辦？
過去勸你，你不聽，現在還有甚麼辦法？

司馬懿發動政變，佔領了兵營，城外守得像鐵桶一樣，大將軍要早定大計。
正在驚慌，魯芝、辛敞趕到。

司馬懿造反，我已把大將軍印取來，趕快調兵討伐。

我全家都在城裏，這樣一來，他們的性命難保。

尹大目也隨後趕到。
太傅曾對天發誓，只要大將軍交出兵權，保證沒事。
唔……

太傅只爲大將軍獨掌朝政，所以要你交出兵權，別無他意，你儘管回城好了。
這時，許允、陳泰趕來。

唉，怎麼辦呢？只有……
曹爽想了一夜，仍拿不定主意。

事情緊急，決不可輕信外人，自投死路。
我再想想！

次日晨。
大將軍，你決定了嗎？
我決定交出兵權，做個富翁算了。

曹真大將軍是個智勇俱備的英雄，誰知他的兒子竟是個糊塗蟲。

曹爽把許允、陳泰找來，交出大將軍印。

太傅立了誓，不會騙我的！
主簿楊綜扯住印綬。
大將軍交了印，只有死路一條。

許允、陳泰接了印信，回城去了。

兵將們聽到曹爽交了大將軍印，散去大半。

曹爽等陪着少帝，隨後回城。

曹爽等回到府中，司馬懿立刻派兵圍住他們的府第，斷絕進出。

司馬懿做了丞相，和司馬師、司馬昭一起掌握了曹魏的軍政大權。

幾天後，司馬懿把曹爽四兄弟以及桓範、何晏等以謀反的罪名斬首。

他率領本部三千人馬造反，結果被雍州刺史郭淮殺敗。

征西將軍夏侯霸是曹爽的族弟。
司馬懿太狠毒了。我要爲族兄報仇！

夏侯霸只得投降了姜維。
姜維立刻出兵北伐。
魏國內亂，正是繼承丞相遺志，北伐中原的大好時機。
北伐失敗，姜維只得收兵回到漢中。

二一

丁奉短刀破敵

勢弱與天氣壞的積極因素

丁奉是東吳的平北將軍；所謂短刀破敵，就是面對入侵的北魏軍隊，只以三千人，並且「令衆軍脫去衣甲，卸了頭盔，不用長鎗大戟，止帶短刀」，就這樣殺入敵陣，把敵軍殺退。

孔明尚不能勝的束縛

有沒有這個可能呢？或者問，爲甚麼有這個可能呢？

有的人是怎樣答這個問題的呢？

如曹爽兄弟被司馬懿咄咄進逼，面臨抉擇的時候，曹爽之弟曹羲說：「司馬懿譎詐無比，孔明尚不能勝，況我兄弟乎？不如自縛見之，以免一死。」曹羲就是把有沒有可能繫於「孔明尚不能勝」上，我們說，這一點當然不能不看，可是，如果光是看這一點，完全以此作爲準繩，那是非常沒出色的，況且，曹羲很可能還沒有弄清楚「孔明尚不能勝」的眞正原因。

三十年一變的大模式

北魏的進軍東吳，是司馬懿的長子司馬師和次子司馬昭的主意，當時，司馬懿已經病死，魏主曹芳勢弱，朝政幾乎是由司馬兄弟所操縱，到了後來，東吳的孫權

也病逝，由他的三子孫亮登上帝位，司馬師以爲時機已屆，便要起兵伐吳。

北魏的尙書不同意司馬師的意見，他認爲保持現狀是上策，司馬師聽了，立即說道：「天道三十年一變，豈得常爲鼎峙乎？吾欲伐吳。」司馬師的話，也包含了《三國演義》的卷首語：「話說天下大勢，分久必合，合久必分」的意思。當然，即使是這樣，也並不就說明了司馬師的具有大智大慧。有的人說話也好，做事也好，都往往是陷進了一種模式，那末，無論那是怎樣的一種模式，這樣的人都不會是出色的。

雪地三千兵的戰鬥力

司馬師命其弟司馬昭爲大都督，率領三十萬軍隊，分成三路大軍，向東吳進發。司馬昭決定先取東吳的重地東興郡，而第一個目標就是拱衞着東興郡的左右二城了。負責攻打二城的是魏軍的先鋒胡遵。

守衞二城的吳兵堅守不出，胡遵急切難下，只好設下營寨，再作打算。

當時天氣嚴寒，還下着大雪，胡遵爲了禦寒，與衆將「設席高會」（設下盛宴，飲酒作樂），就在這個時候，丁奉帶領三千士兵，分坐三十隻戰船來到。胡遵接報之後，到帳外看看，根本不當作是一回事，只是命令士兵繼續放哨，自己卻仍然是回到營裏喝酒。

不可理喻①裏的必然性

丁奉怎樣打這一場仗呢？一如上面所說的，他命士兵脫去袍甲，不戴頭盔，甚至連長鎗大戟也不要，只是帶上短刀；岸上的魏兵看見他們這副模樣，都大笑起來。

魏兵大笑，因爲他們覺得不可理喻，事實上，哪有這樣的事，冰天雪地，面對作好了配備的敵軍，那樣做，不是不要命了嗎？

結果，一聲令下，丁奉身先士卒，拔出短刀便衝了上岸，殺入敵軍的營寨。他所帶領的士兵也像他那樣的衝了進去。魏軍措手不及，頓時給殺個大敗而逃。

因地制宜②因時作調整

丁奉那樣做，一個是破釜沉舟③，就是不要命，以激勵士兵的士氣，另一方面則是藉此驕敵之心，鬆懈敵軍的戰意，這末一來，此消彼長，本來强弱懸殊之勢，一下子便互易，事情的轉變，就是會來得這樣的快。

弱勢（丁奉只有三千士兵，其餘的三萬馬步兵是隨後來接應，胡遵卻是二十多萬兵員），天氣壞（下雪，

嚴寒），原來也可以成爲取勝的條件，試想想，倘若丁奉帶的是三萬士兵，又在暖和的氣候裏脫衣，帶上長鎗大戟，會不會收到那樣好的效果（自己高昂的士氣、敵方輕視的態度）？

有了好的兵法，還要因地制宜，因時而作具體的安排，能夠做到這樣，兵法便是活的，而且會千變萬化，致勝的機會也便隨之而大增了。

①不可理喻：不能夠用道理開導的，這裏形容愚蠢。
②因地制宜：根據當地的具體情況，制定適當措施。
③破釜沉舟：典故出自《史記·項羽本紀》。打破飯鍋，沉掉渡船，比喻下定決心，一拚到底。

二年後，司馬懿病故。
魏少帝封司馬師爲大將軍，
司馬昭爲驃騎大將軍。

司馬兄弟操練兵馬，
積蓄力量，等待
征吳伐蜀的機會，
統一天下。
魏

報！
東吳孫權
死了，
太傅諸葛恪立
孫權第三子
孫亮爲帝。
伐吳的
機會
到了。

司馬師派
司馬昭爲
大都督，
領兵三十萬，
征伐東吳。
司馬

胡遵，你領兵三萬，先攻東興郡。

嚴冬，大雪紛飛。魏兵來到東吳邊境

報！魏兵直逼東興。

諸葛恪召集衆將商議。
好！你領兵三千，前去增援。我隨後接應。
東興是要隘，一定要守住。

他心中焦躁，正在營中喝酒。
報！東吳援兵到。

這時，胡遵已連續攻打東興多日，沒能攻下。
胡

你帶人防守，別讓船靠岸。
是！

這麼小的船，不過三千人，怕甚麼？

卸下衣甲頭盔，麻痹敵人。一律改用短刀，殺他個出其不意！
是！

立功報國的時候到了！
東吳戰船駛近岸邊。

哈！他們這副樣子，怎能打仗？
魏軍果然中計。

轟
轟
轟
突然，三聲炮聲，東吳戰船靠岸，丁奉身先士卒，跳上岸去。

衝啊——
殺啊——

丁奉殺進魏營，魏將韓綜來不及拿槍，便被殺死。
啊！

魏軍猝不及防，只得紛紛逃命。
魏

魏將桓嘉挺槍來刺，被丁奉抓住槍桿。

哪裏逃！
丁奉飛刀紮向桓嘉。
丁奉趕上來，一槍刺中桓嘉。
哎喲——

魏軍哭爹叫娘，
死傷無數。

胡遵仗着馬快，
從後營逃走。

司馬昭眼見挫傷
銳氣，只得退兵。

諸葛恪率兵來到
東興，犒賞三軍後，
和衆將商議。
司馬昭兵敗，正好乘勝北伐。

諸葛恪率二十萬人馬，攻打魏國新城。但連攻三個月，沒能攻下。
諸葛恪派人送信給姜維。
好！我調齊人馬出兵。
這天諸葛恪又指揮攻城，不幸中箭。
軍心動搖，只得收兵回吳。

諸葛恪權勢日盛，引起孫亮和皇族孫峻的疑懼。
皇上可召他入宮飲酒……
好！

孫亮封孫峻爲丞相、大將軍。從此，吳國的大權都由孫峻掌握。
孫
孫

諸葛恪入宮赴宴，被孫峻殺死。

三

鐵籠山

怎樣看得出是要害之處

司馬昭兵敗東吳，東吳乘勢約同西蜀，一起伐北魏。類似這樣的事情，在北魏、東吳和西蜀之間，發生過許多次了。關係是十分的微妙，機會的來去往往會在瞬間產生極大的變化，眞正能夠把握的，總是佔着很少的一個比例。

不自知竟是合情合理

在東吳，主張伐北魏的是太傅諸葛恪，但他等不及西蜀的姜維，自己已經兵敗，還給吳主孫亮殺了，像這樣的大轉變，眞可以說是一下子就來到的。

諸葛恪素來專橫，即使他兵敗之後，回到東吳，在稱病不出的日子裏，因爲擔心遭到人家的議論，便「先搜求衆官將過失，輕則發遣邊方，重則斬首示衆」。

本來，如此不願意承擔責任卻又如此專橫，有不好的下場是很自然的事，但諸葛恪就是不自知——這種不自知，有的時候竟是合情合理的，倘若我們認識到這一點，便不能不驚心動魄了。

名師與高徒的非必然

西蜀的姜維接到諸葛恪的信，便再度出兵北魏。北魏以司馬昭爲大都督，以輔國將軍徐質爲先鋒，領兵對

抗。徐質使用開山大斧，勇不可擋，逼得蜀兵要退守，另謀對策。

孔明生前曾把自己所學寫成二十四篇文章，都傳給了姜維。當然，即使跟隨的是名師，但到底能學得多少，始終都得自己下了多少功夫，所謂「名師出高徒」，其實並非必然如此的。名師可以出劣徒，一般的師傅也可以出得一個超羣的徒弟，自己的領悟、吸收、進取，是很重要的。作爲老師，最大的目的就是不教——使學生在離開了老師之後，自己也能很好地學習和學得很好。

木牛流馬再度顯神通

姜維要智取徐質。夏侯霸獻計，說可以利用地形，施以埋伏，使徐質受擒，但姜維不同意，他說，昔日之司馬懿爲兵法上的大行家，其子司馬昭也不會弱到那裏去，恐怕埋伏之策會被他識破；結果，姜維用上了以木牛流馬運糧，予司馬昭一個「圖久遠」的印象，這末一來，司馬昭便會令徐質出兵至姜維所要他去的一個地方——也就是木牛流馬運糧之所。

我們知道，相類的一個做法，孔明也曾用過，並且成功地使司馬懿帶着司馬師和司馬昭二子到葫蘆谷，以爲可以燒毀孔明在那兒所屯積的糧食，豈料父子三人差點兒給孔明活活燒死，嚇得司馬懿擁著二子痛哭失聲！

糧道上有無盡的兇險

這次，司馬昭得知姜維在鐵籠山後用木牛流馬運糧，便立即着徐質帶五千兵馬夜襲，務要斷其糧道。

姜維就在糧道上佈下埋伏。

徐質也就這樣中了姜維的埋伏，終於被姜維殺了，魏兵死傷無數。姜維命蜀兵穿上了魏兵的衣服，直入魏兵本部，殺得司馬昭和六千兵將跑上了鐵籠山。鐵籠山只有一條路，姜維守着那條路，必要擒得司馬昭。

司馬師當然還另有兵將，可是，怎樣才可以救得司馬昭呢？

覷準要害處狠狠一擊

其中，郭淮和陳泰曉得，姜維此來，是和羌兵合計的，他們便要先從羌兵那兒打破一個缺口。陳泰帶了五千兵，詐降給羌王，並請纓去劫郭淮的營寨。羌王命自己的兵將和陳泰一起去劫營，結果便上了陳泰的當，死傷甚多。接着，陳泰和郭淮便殺回羌王那兒去，捉住了羌王，卻說可以還羌王的自由，並誘以厚利，這末一來，羌王便帶着魏兵直奔鐵籠山。

姜維不知道有詐，被魏兵殺得落荒而逃，好不容易才用來自追兵郭淮的箭，把郭淮射死了，終於得以回到西蜀。

戰場就是如此的險惡，一浪去，一浪生；一波未平，一波又起，看誰可以經得起這樣的起起伏伏而不僅不會大傷元氣之餘又反過來可以大有進境了。從某個角度看，人生又何嘗不如此呢？

姜維點起二十萬大軍，令廖化、張翼爲先鋒，夏侯霸爲參謀，殺向魏境。

報！諸葛恪攻新城不下，已收兵回吳。

姜維派郤正帶了金銀珠寶來見羌王，說明來意。
好！我發兵五萬，前往南安相助！

姜維安下營寨，召衆將商議。
可連接羌人，攻取南安。
好！就這樣辦！

姜維聞報羌王願助，
立即率軍攻取南安。
司馬師得悉，派
司馬昭爲大都督，
猛將徐質爲先鋒，
救援南安。
廖化
來也！
誰來
會我？
兩軍在董亭相遇。

衝啊——
殺啊——
廖化殺不過徐質，大敗。

姜維安下營寨，和夏侯霸商議了一條破敵之計。

蜀兵抵擋不住，退後三十餘里。

姜維喚來廖化、張翼。
是！
你倆如此如此……
報！蜀軍在鐵籠山後，用木牛流馬運糧……
徐質，你帶五千人馬去劫糧。斷他糧道，不愁蜀兵不退。
徐質前來挑戰，蜀兵堅守不出。

徐質點了五千精兵，
天黑後繞道前往鐵籠山。

哈！搶走木牛流馬，殺他人仰馬翻！

你帶人把木牛流馬趕回去，我率衆追擊。
是！

蜀兵丟下糧車，紛紛逃命。

追了七、八里路。
轟
轟
轟

徐質，你中計了！
蜀
火光四起，廖化、張翼兩邊殺來。

徐質殺開一條血路，突圍而走。

突然，姜維殺來。
徐質，你往哪兒逃？

徐質驚慌失措，被姜維一槍刺死。

姜維讓蜀兵換上魏軍的衣甲，打起魏軍的旗號，由夏侯霸率領，從小路來到魏寨。

姜
姜
降者免死。

殺！
魏軍以爲是本部兵馬，開寨放入。

司馬昭從睡夢中驚醒，慌忙上馬，棄寨逃命。
司馬

司馬昭，快快留下性命！

司馬昭，你往哪裏逃？
廖化從前面殺來。

司馬昭領着殘兵，東衝西突，找不到退路。
司馬

哈哈！這山只有一條通道，十天之內魏軍必定餓死！司馬昭死定了！

司馬昭無法可想，只得上鐵籠山據守。

唉！我要死在鐵籠山了。
幾天後，山上糧盡，士氣低落。
姜維在山口安營，困住司馬昭。

羌王迷當已率兵來到城外，我軍一動，他必定乘虛襲城。
哪怎麼辦？

郭淮得知消息。
大都督被困，我得發兵相救。
我領兵去羌營詐降……
好計！

陳泰領兵五千來到羌營投降
郭淮常想害我，所以前來投降。
好！歡迎。

我知道郭淮營中的佈置，今夜可去劫寨，殺了郭淮，襲取南安，
好！我派先鋒俄何燒戈和你同去劫寨。

二更，陳泰引着俄何燒戈來到魏寨，陳泰率先衝入。
羌
陳

轟！
一聲炮響，魏兵分兩路殺來。

啊！
俄何燒戈緊緊跟上。

魏
羌兵紛紛投降。

俄何燒戈自刎而死。

羌王毫無防備，被活捉。
郭淮、陳泰立即殺奔羌營。
魏、羌一向沒有怨仇，大王爲甚麼要幫助蜀人呢？
郭淮親自給羌王鬆綁。
羌王伏地謝罪。
現在請大王爲前部去解鐵籠山之圍，退了蜀兵！我奏准天子，重重有賞。
我答應。

羌王在前，郭淮率軍隨後，直奔鐵籠山。

羌王帶人來到中軍帳，姜維出帳迎接。

報！羌王領兵前來相助。
令羌兵屯紮寨外，請羌王進寨。

突然，羌王拔出刀來，殺向姜維。

郭淮也帶兵殺進寨來。
蜀兵從睡夢中驚醒，
紛紛逃命。

姜維慌忙上馬，
搶了一副弓箭，
奔出寨去。
姜維，你往哪裏逃。
郭淮見姜維手無寸鐵，縱馬追來。

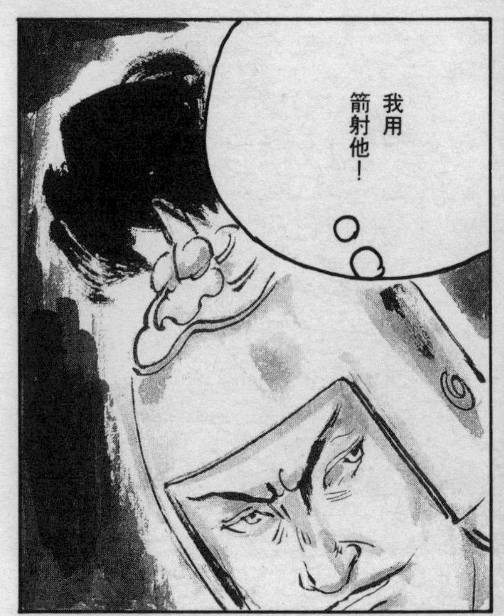
我用箭射他！

糟了！箭都掉光了。

哈！他沒有箭！我來賞他一箭！

姜維連續幾次用空弦
嚇唬郭淮

拉弓射箭，正中郭淮面門。
啊——
姜維順手接住。
姜維回馬欲殺郭淮，魏兵趕到。他只得拔了郭淮的鋼槍，飛馬離去。
魏

司馬昭領兵
下了鐵籠山。
魏兵急救郭淮
回寨，拔出箭頭，
血流不止而死。
報！
姜維已經
退兵。
司馬昭遣羌王
回去，也下令
班師。

四

狄道城

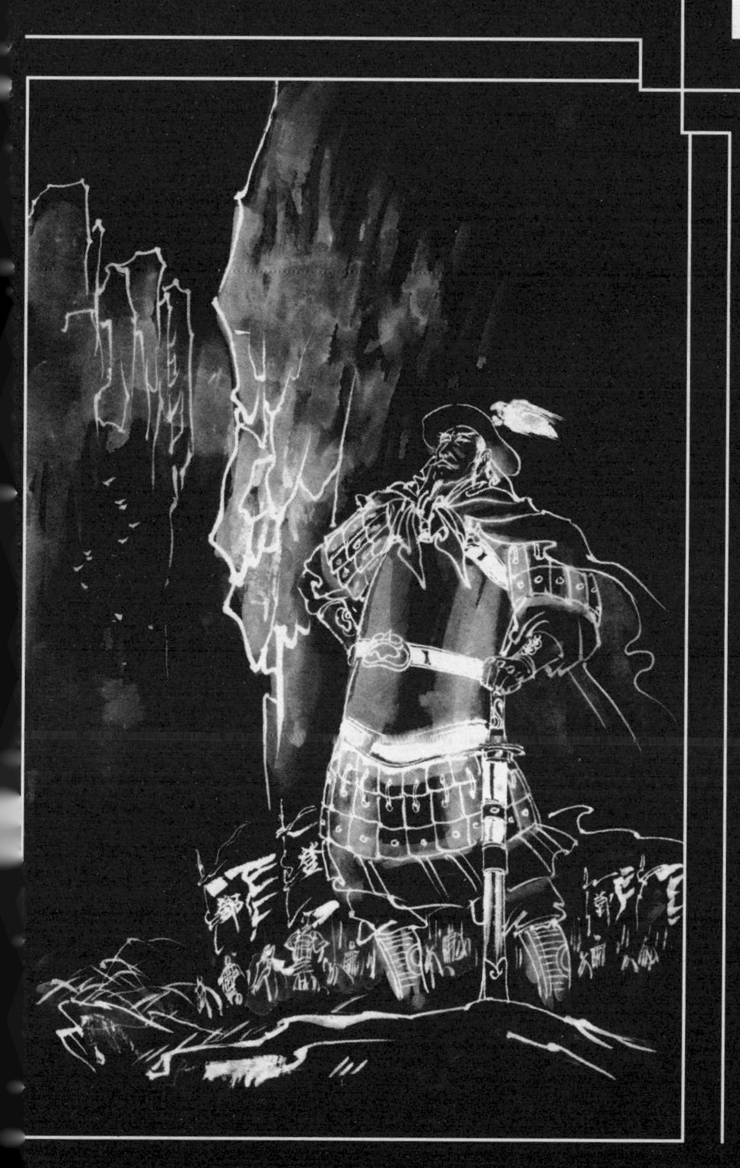

誰能深曉進進退退的奧妙

魏主曹芳處處受制於司馬師與司馬昭兄弟，要密謀廢之，可是被識破，司馬師遂請太后另立曹髦爲皇。

雖位高權重也不由人

京城之外，有人不服司馬師此舉，起兵討伐司馬師；司馬師儘管患上眼疾，仍然親自領兵前往鎮壓，只是並不順利，更遇上了頑抗，司馬師急怒之下，使眼疾變得沉重，最後更因此而亡。

司馬師臨終時，對司馬昭說：「汝繼我爲之，大事切不可輕託他人，自取滅族之禍。」

我們從這句話也可見，司馬師雖然位高權重，但生活得絕對不輕鬆。高位與大權，也可能是很脆弱的。要知道，司馬師是已經掌握了軍隊的。

姜維步孔明之後創業

司馬師死後，大都督之位就由其弟司馬昭接任，而曹髦也只好同意。細嚼司馬師的話，我們也不難覺察得到，由於沒有別的保障，便只有選擇接任一途——這才可以避免了「滅族之禍」。

這個時候，姜維第三次出兵伐魏。

姜維常常愛把自己與孔明比較，對於第三度出兵，

他也說及孔明曾六出祁山的事；孔明說「先帝託孤」，姜維則說「承相遺命」。

我們可以說，姜維是活在孔明的影子裏；或者說，姜維是信心不足。有孔明在前，也是難爲了姜維。他也恐怕是只有在建立了一番功業之後，才能眞正地以姜維自己的形象站起來。

姜維出師取背水而戰

姜維第三度出兵，是因爲他認爲「今魏有隙可乘」，他對後主劉禪說：「司馬師新亡，司馬昭初掌重權，必不敢擅離洛陽。臣請乘間伐魏，以復中原。」姜維的這個分析也不是沒有道理，司馬師是在征戰的途中而亡的，司馬昭在趕去見了其兄的最後一面後，也急急地趕回去，怕的就是「萬一朝廷有變，悔之何及」，其父司馬懿趁曹爽三兄弟不在城裏而兵變、最後殺了曹爽三兄弟及其全家的例子，司馬昭還不印象深刻嗎？

姜維引兵五萬，先取洮水。

洮水的守軍以馬步兵七萬來迎，姜維經過一番佈置之後，自領大軍背洮水列陣。魏兵由王經與陳泰率領，王經派出四將合戰姜維——他也看出姜維是背水爲陣，所以下令說：「彼若退動，便可追擊。」

在再退不得的時候進

姜維只戰了數回合，回頭便走，王經則驅動了兵馬，追趕過去。在快要退到水邊的時候，姜維對衆將大叫:「事急矣！諸將何不努力！」

就在這一刹那間，諸將精神大振，奮力殺了回去，姜維更在敵陣左穿右插，魏兵大敗，王經引百騎，逃往狄道城，堅守不出。

姜維是以退爲進，在退到不能再退的時候，大聲叫出的一句話，爲的是激勵士氣，從而全力地殺回去。無疑，他的那句話，叫得正是時候，既然退不得，那末，爲甚麼不進呢（進，未必不得）？

以退爲進再進卻得敗

進進退退，裏面是有着不少奧妙的。曹芳的進退是這樣，司馬師和司馬昭的進退是這樣，姜維大大小小的進退也莫不如此。就說以退爲進，那不過是說，退之中，暗藏著進的契機，但那契機卻不是一定會出現的。姜維背水而戰，開始的時候，他與對方四將「略戰數合」，便回馬引動自己的兵馬再向洮水的方向走，到了不能再退之際，再發一聲喊，回身殺敵，結果，「逼入洮水者無數」的，是魏兵。

洮水一役取得大捷，使姜維雄心勃勃，人家勸他，「將軍功績已成，威聲大震，可以止；今若前進，倘不如意，正如畫蛇添足也」，然而，他卻以爲，這正是乘勝追擊的時候。於是姜維引兵而進，圍攻狄道城，可是，狄道城「城垣堅固」，姜維「八面攻之，連攻數日不下」；魏方有鄧艾率援兵趕到，這位鄧艾，有一定的名聲，是領兵之材，他「自幼深明兵法，善曉地理」，姜維要趁他還沒有站穩陣腳，攻他一個措手不及，卻反而掉進了對方所設的陷阱，兵敗回西蜀，後來才知道，鄧艾純是虛張聲勢——姜維以爲他無備，他便針對了這一點，佈下了一個局，嚇退了姜維。

姜維一向視鄧艾爲孺子①，有輕視之意，是導至他兵敗的一個原因；狄道城堅固，他只是强攻，一天接一天，便會消磨了戰意。退中有進，進中有退，自有奧妙，卻是不易掌握得好的。

①孺子：小孩子。比喻幼稚無知的人。

嘉平六年，司馬師兄弟廢掉少帝，另立曹霖之子曹髦爲帝。
司馬昭班師後，與司馬師兄弟專權，無視少帝。
揚州都督毋丘檢、刺史文欽率兵討伐，遭司馬師鎮壓。
第二年六月，司馬師病亡。魏主曹髦封司馬昭爲大將軍，錄尙書事。從此，魏國大權由司馬昭獨掌。

報！司馬師新亡……
好！機會來了！

188
姜維立即率兵北伐。

是！
張翼，你可……

兵至洮水，雍州刺史王經領兵迎戰。

夏侯霸，你可……
是！

姜維在洮水邊背水
列陣，迎擊魏軍。

蜀兵背水
爲陣，我們
力戰，把他們
擠下水去，
一定取勝！

王經令四員牙將合力
衝殺，一起來戰姜維。
姜維戰了數合，
撥馬便走。王經
指揮人馬追殺。

蜀軍退到洮水邊。
沒退路了！只有殺回去才是活路！

姜維挺槍回馬，殺向魏將。

蜀軍兵將，奮力回頭衝殺。

張翼、夏候霸又從兩側殺來。
衝啊——
殺啊——

魏軍大敗。
王經帶着百來個敗兵，殺出一條血路，逃向狄道城。

姜維將狄道城圍住，
四面攻打。

乘勝前進，
攻取狄道城！

王經一面堅守，
一面派人到
雍州向陳泰
求救。
城高堅固，
連攻數日不下。

報！兗州刺史鄧艾帶兵前來相助！
好極了！快請。

陳泰猶豫。
我只有兩萬人馬……

奉大將軍之命，特來助將軍破敵。

狄道城被圍，如何救法？
只要……，蜀兵必退！

好計！

陳泰令一千兵丁，分成二十股，帶了旗旗、鼓角，到狄道東南的山谷中埋伏。

他和鄧艾兵分兩路，往救狄道城。
報！陳泰和鄧艾率兵前來救援。

鄧艾是怎樣的人？
他深通兵法，是個勁敵。

姜維留張翼攻城，令夏侯霸去戰陳泰，自己領兵去戰鄧艾。
乘他遠來勞頓，打敗他這疲兵乏將。
行不到五里，東南方向山中火光衝天，鼓角震天響，隱隱還傳來吶喊聲。
姜維站在高處瞭望，只見四下有無數魏軍旗號。
不好！中鄧艾的計了。

姜
蜀
蜀
姜維派人通知張翼、夏侯霸立即退兵，自己也率兵退入漢中。
經此一戰，蜀兵再不敢來侵犯了。
不可輕敵！姜維很快會捲土重來！
鄧艾因功被魏主封爲安西將軍，陳泰、王經爲他設宴慶賀。
啊—
狄道山中，到處都是鄧艾佈的疑兵……
於是，鄧艾在祁山立下九個大寨，每天操練軍馬，防備蜀兵。

不久，姜維整頓了軍馬，再次北伐。
姜
蜀
蜀

姜維吩咐副將鮑素。
你打着我的旗號，每天派人到魏營哨探，吸引鄧艾。我領兵去突襲南安。
是！

姜維帶人登高而望。
報！魏軍在祁山立下九個大寨……
鄧艾眞是個將才！

姜維走後，鮑素每天
派人輪流哨探，不和
魏兵交戰。
姜
姜

好！
你先帶
兵去打破
蜀寨，然後
截斷姜維退兵。
我去搶佔武城
山，攔住姜維。
哪
怎麼
辦？
姜維
不在
這裏，
一定偷襲
南安去了。
鄧艾看出了蹊蹺。
兩人分頭領兵出發。

報！
姜維率軍
來到山下。
鄧艾來到武城山，
吩咐兒子鄧忠和
偏將師纂帶兵到
段谷埋伏。
鄧艾率軍殺下山來。

姜維，你中計了。
路經段谷，鄧忠、師纂領伏兵殺出。
姜維見鄧艾已有防備，改道去取魏軍屯糧的上邽。
走不幾里，鄧艾大軍殺到，三路夾攻，圍住姜維。
後軍改作前軍，退兵！
姜維且戰且退。

危急時刻，夏侯霸率援兵趕到，才合力殺退了魏兵。
祁山寨子已被陳泰把守，鮑素陣亡，全寨人馬退回漢中去了。
這樣，只有退兵了！
乘鄧艾在這裏，我們去攻祁山！

姜維不敢再走大路，從山野小路向漢中撤退。

鄧艾處處有備，我小看了他！
報！前面魏將陳泰攔住去路！

姜維親自率軍死戰，但人困馬乏，陷入重圍。
蕩寇將軍見姜維被圍，率軍殺入。
大將軍快走，我來斷後！

姜維突出重圍。
姜
張嶷卻被亂箭射死。

姜維回到漢中，寫了表章送往成都，請後主治他的敗軍之罪。

後主下詔，把姜維降爲後將軍，代行大將軍職務，仍總督蜀中軍馬。

五

義討司馬昭

姜維三度伐魏均不成功，過了不久，再第四度出兵。姜維此舉，為鄧艾料中，結果在整個過程中，處處都受到了鄧艾的掣肘。一旦被人家佔了先機，便吃力而不討好——姜維碰上了鄧艾，情況就是如此。

鄧艾鍾會北魏二能人

鄧艾能掣肘姜維，除了智慧、兵法外，與他的大魄力也是有關係的。一個人的大魄力是不可能一下子來到的，原來鄧艾「幼年失父，素有大志，但見高山大澤，輒竊度指畫，何處可以屯兵，何處可以積糧，何處可以埋伏」，他的大魄力，就是這樣漸漸地培養起來的。

此時的北魏，有兩能人，一是鄧艾，二是鍾會，年幼時均曾得到司馬懿的賞識。鍾會七歲的時候和八歲的哥哥鍾毓曾經見到皇帝，皇帝問鍾毓為甚麼汗流滿面，鍾毓答道：「戰戰惶惶，汗出如漿。」皇帝又問鍾會為甚麼沒有流汗，鍾會答道：「戰戰慄慄，汗不敢出。」我們從這件事裏，便可以看到了鍾會的膽識與智慧，人們評道：「二人深可畏也。」

司馬昭恩德未及四海

鄧艾在擊退姜維來犯之役中幫了司馬昭的大忙，鍾

①步步爲營：形容穩紮穩打。
②大相徑庭：比喻彼此相差極大。

會也不示弱，在幫助司馬昭對付諸葛誕的行動中，亦立了大功。

司馬昭當上了大都督，仍然不滿足，他的野心比其父司馬懿和其兄司馬師都要大。司馬師雖然並不臣服於主曹芳，但也不過是請太后另立曹髦爲帝，司馬昭卻是要取曹髦而代之。

司馬昭的心腹賈充說，司馬昭即使有力取得皇位，但「主公乘父兄之基業，恩德未及四海」，京城外的人未必心服，也是隱患，宜及早試探，了解人心之背向。

到底是不是只差一步

賈充向諸葛亮（孔明）之族弟、鎮東大將軍諸葛誕試探，諸葛誕立即謀反，一方面是自己作準備，一方面是向東吳請救兵。司馬昭知道了，要親自領兵前往討伐，賈充說，司馬昭去了，朝裏有變，那怎辦？他建議，司馬昭應帶同太后和曹髦一起去，那便無後顧之憂了。司馬昭採納了賈充的意見，提出了要求，太后和曹髦也不得不從。

賈充的策略，用一句話來概括，那就是步步爲營①。他的看法和司馬昭無疑是大相徑庭②的，司馬昭以爲自己是到了連皇帝也可以取而代之的地步，那就是再也沒有甚麼事情是不可以做的了。在司馬昭的心目中，自己是只差一步便可以登上天子之位，賈充卻以爲，特別是這個時候，每一步都要小心計算。

古之用兵者全國③爲上

賈充能夠看出問題，那是由於他的視野較司馬昭的大得多，司馬昭以爲，那不過是只欠眼前的一步，但是賈充認爲，那一步所牽涉的，其實是一個大空間，絕對不是輕輕一步，便可以跨過的。

司馬昭在鍾會的協助下，得到大捷，東吳兵多半降魏，有人說：「吳兵老小，盡在東南江、淮之地，今若留之，久必爲變：不如坑之。」那就是說，乾脆把他們都殺掉算了，省得多事；可是鍾會卻認爲：「不然：古之用兵者，全國爲上，戮其元惡而已。若盡坑之，是不仁也。不如放歸江南，以顯中國之寬大。」

人心不穩是攻城時機

鍾會眼中，也有一個大空間，而也是只有這樣，做起事來，才會有一種大家的氣派。當時的中國，指的是中原之國，也就是魏之所在。

諸葛誕不敵司馬昭，退回壽春城堅守不出，鍾會的策略是，三面包圍，留下一個缺口，讓諸葛誕有逃離的

機會，而，他一旦逃走，便可以擊之；至於東吳兵來助諸葛誕，鍾會則要乘其遠來，一定沒有足夠的糧食，鍾會斷其補給，便不攻自破。後來吳兵退去，鍾會便把壽春城給圍了，卻只是圍而不戰；過了一段時日，城裏的糧食變得短缺，人心不穩，鍾會於是告知司馬昭，攻城的時機到了，司馬昭依言，果然很快便攻入了！

我們說，既使在攻壽春城這事情上，鍾會眼前也有一個大空間；如果說，一般人是平面視物的，那末，鍾會的視物，就是立體的了。

主公須先排除異己，再圖大事。
有朝一日，我自己當皇帝。
賈充是他的心腹。
好！你去明察暗訪，第一個便是鎮東大將軍諸葛誕。
是！
賈充以犒軍爲名，來到壽春，會見諸葛誕。

近來滿朝文武，都說司馬大將軍德高功大，可以代魏爲君，將軍以爲如何？
司馬昭若想篡位，我要誓死保衛朝廷！
鼠輩竟敢如此！
賈充回到洛陽，稟告司馬昭。

司馬昭派人送密信給揚州刺史樂綝，要他調集人馬，準備進攻壽春。

司馬昭又派使者去見諸葛誕，要他交出兵權，到洛陽作司空。
嗯！司馬昭要害我，沒那麼容易！

諸葛誕立即發兵殺了樂綝。

他拷問使者。
大將軍已送密信給樂綝……

這時，東吳掌權的是丞相孫綝。
好！我發兵。
諸葛誕派長史吳綱送兒子諸葛靚到東吳作人質，請東吳發兵相助，討伐司馬昭。
你倆領兵七萬，以朱異、唐諮爲先鋒，于詮爲合後，文欽爲嚮導，到壽春相助。
是！
孫綝派大將全懌、全端爲主將。

司馬昭得報，調集二十六萬人馬，脅迫曹髦跟他一起出征壽春。

這時，東吳軍隊已駐在壽春城外。
報！司馬昭率軍殺來。
全懌派先鋒朱異、唐諮率兵迎戰。
魏將王基出馬，連勝朱異、唐諮。
吳兵大敗，退五十里下寨。

司馬昭和長史裴秀、黃門侍郎鍾會商議破敵之計。
東吳幫助諸葛誕，是爲得利，只要以利誘東吳，不怕不勝。
諸葛誕得報，帶本部精兵和吳兵會合，與司馬昭決戰。
諸葛
王基，你領精兵衝擊。
是！
成倅，你用車仗裝滿財物去誘敵。
石苞、州泰，你倆引軍去石頭城埋伏。
是！

成倅領兵來到壽春城外討戰。

諸葛誕居中，朱異在右，文欽在左出營迎戰。

未戰幾合，魏兵佯敗，將財物丟得滿地都是。
吳軍見了，紛紛搶奪財物，亂成一團。

諸葛誕正率軍追殺，
石苞、州泰兩路伏兵
殺來，將諸葛誕和
吳軍衝成兩截。
王基也率兵殺來。

吳兵來不及進城，退往安豐。

諸葛誕兵敗，退回壽春。

可網開南門大路，乘他出逃時，半路伏擊。
眞乃妙計！

司馬昭圍攻壽春，半月沒能攻下。

你立即去安豐向吳軍求救。
是！

司馬昭立即下令撤了南門的圍城軍。

這時，東吳丞相孫綝正在安豐。
諸葛將軍派我前來求援。

你們馬上去救壽春，退不了司馬昭不要來見我。
是！

好！朱異，你率軍留在城外。
是！
我軍兵分兩路，一路進城，一路在城外和魏軍交戰，再內外夾攻……

全端、全懌、文欽、于詮領兵兩萬，乘魏兵不備，突然衝進了壽春南門。

司馬昭立刻發兵阻擊朱異，朱異大敗。
報！吳軍……
他們想內外夾攻，想得美！
再退不了魏兵，我就殺了你父子！
孫綝把殘兵交給全端的兒子全禕。
你一敗再敗，推出斬了。
朱異帶着敗兵逃回安豐。

全禕率兵來到壽春，魏兵又已合圍，無法進城。
你去招降你父親和叔叔。
是！
全禕進退無路，投了司馬昭，被封爲偏將軍。

當夜，全端、全懌率軍降了司馬昭。

孫綝殘暴，殺了朱異，還要殺我父子……

全禕將招降家信射入全端防守的西門。

謀士蔣班、焦彝勸他。
城中糧少兵多，不能久守，可集中所有兵力，與司馬昭決一死戰。

諸葛誕聞報，十分憂悶。

我要堅守，你們卻要出戰，休得再說，再說就按軍法處斬。

他不聽忠言，必將滅亡……
我們不必再替他賣命！
當夜，兩人踰城投奔司馬昭。

諸葛誕立刻下令斬了文欽。
到了冬天。
營中斷糧了，不如把北方兵遣散，也省些糧食。
北兵散了，你可以害我是嗎？
文欽之子文虎、文鴦聞訊，殺上城頭，飛身出城。
文虎、文鴦也到魏營降了司馬昭。

城中人心已變，可以攻城了。
好！我立即下令。

圍住壽春的魏軍接到命令，發動攻擊。

諸葛誕得悉，帶了幾百心腹，從小巷逃出城去。

北門守將曾宣開城投降。

諸葛誕，你往哪裏逃？
城已攻破，快快投降！
胡奮刀起手落，斬了諸葛誕。
吳將于詮獨自在西門奮戰。
我奉命來救壽春，豈肯投降，作不義之人！

司馬昭進了壽春，滅了諸葛誕三族。

投降的吳兵很多，殺了他們吧！
不！應該把他們全部放了，讓他們知道我們的寬大。
司馬昭把吳兵盡數放回，然後班師回洛陽。
魏
司馬

六

定計斬孫綝

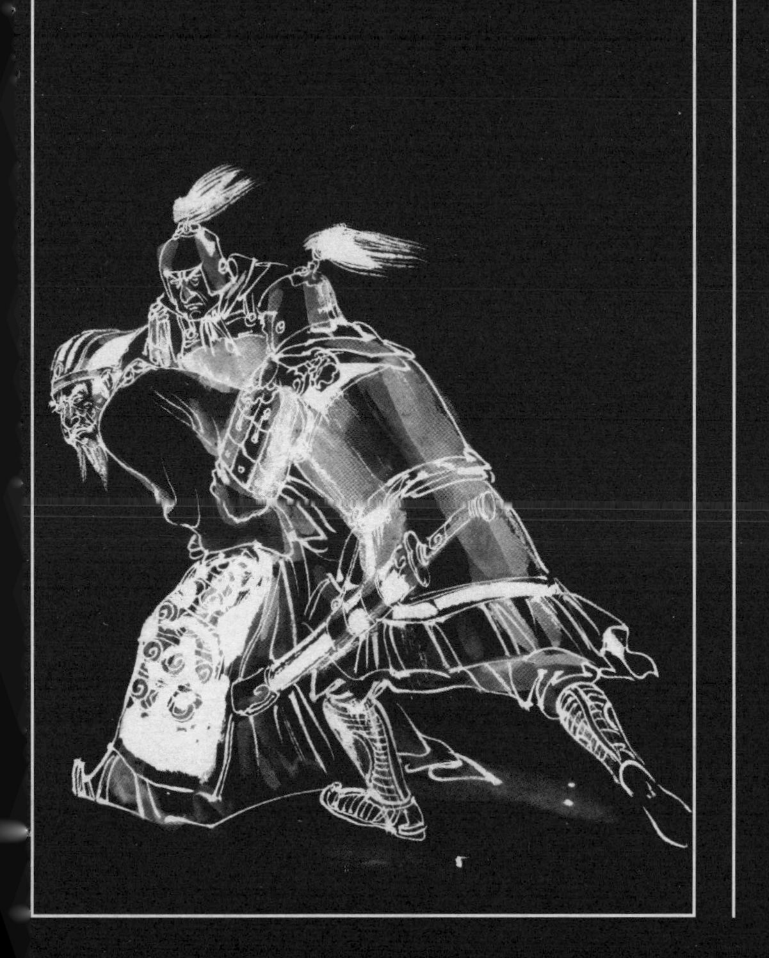

怎樣才可以做得成大事

魏蜀吳三國的國力，到了後期，都不約而同地在日漸削弱，魏主曹髦受到野心勃勃的司馬昭所控制、吳主孫亮則受制於東吳的大將軍孫綝，至於蜀主劉禪，自孔明死後，也受制於中常侍黃皓，「入其朝，不聞直言；經其野，民有菜色」（朝廷上沒有人能夠面對國家的問題，商討解決的辦法；在民間，百姓面有菜色，顯然是由於吃不飽的緣故）。

有小聰明而欠缺雄風

朝廷自己出了問題，國力便必然會下降；魏蜀吳三國的皇帝都欠缺了雄風，鎮不住，蠢蠢欲動的人也便多了起來。就如孫綝，本是東吳承相孫峻之弟，孫峻病死之後，便擔當了輔政的工作，一下子便殺了一批重臣，使自己大權在握，後來更當上了大將軍，驕橫暴戾，吳主孫亮也在他的把持之中。

那個時候，孫亮是十六歲，人是有點小聰明的，一天，他吃生梅，命一個叫黃門的人取來蜜糖，可是，取來的蜜糖，裏面竟然有鼠糞數塊，孫亮向藏史問罪，藏史說收藏蜜糖的地方是絕對沒有鼠患的；於是，孫亮便想到，藏史有可能是與黃門新近結了怨，這次被黃門嫁禍，而，這只要看看鼠糞的裏面是濕的還是乾的，也便可以知道（孫亮說，「若糞久在蜜中，則內外皆濕；若

新在蜜中，則外濕內燥」），黃門無話可說。

商量大事的第一要訣

可是，孫亮也是只限於這樣的小聰明而已，這樣的小聰明，根本不能幫助他解決大問題——何況，他所面對的，是比大問題更大的問題。

後來，孫亮與國舅商量殺孫綝的事，可是，國舅的母親就是孫綝的姊姊。孫亮與國舅密謀後，要求國舅不要告知其母，然而，國舅雖不告其母，卻告其父，其父再向其母通告，事情也就如此這般地敗露了。孫亮爲甚麼要跟國舅密謀如此重大的事情呢？那是由於當日他悶坐，剛巧國舅在側，這末一來，孫亮便跟國舅商量起來，這無疑是太隨意了，根本沒有考慮到那是否一個合適的人選。小聰明不管用，孫亮終於是自己誤了自己，被孫綝廢了他的帝位。

做甚麼事便找甚麼人

孫亮是孫權的第三子，孫綝另立孫權的六子即孫休爲帝，而孫綝也當上了承相。

孫綝自然也不會把孫休放在眼內的，過不了多久，孫休便知道，孫綝有意自立爲皇，於是孫休也得設法對付孫綝了。這一次，孫休所託的，是左將軍張布和老將丁奉。

丁奉與孫亮所找的國舅可謂不能同日而語。張布說：「老將丁奉，計略過人，能斷大事，可與議之。」張布這番介紹，也正好說明了他很清楚自己所要做的是怎樣的一回事，在這末一個基礎上，他便知道該找些甚麼人了。

觸到要害處的十二字

丁奉的短刀破敵，是一個很著名的故事了。當日，他帶領三千士兵，面對入侵的二十多萬魏兵，在雪地上脫下衣甲，只帶短刀，就這樣衝入敵陣，更大破敵陣。丁奉那樣做，予魏兵很大的困擾（魏兵見之大笑，更不準備），然後他衝向了困擾的敵人，表現了他的智謀、勇氣與魄力。

張布說的「計略過人，能斷大事」的，就是這一個丁奉。結果，丁奉見到孫休，開頭的一句話，只有這十二個字：「陛下無憂①：臣有一計，爲國除害。」言簡意賅，但字字都觸到要害處。接着，丁奉提出了一個辦法，由他和張布來執行。

①無憂：不用憂慮。

有計略有魄力夠決斷

丁奉就是在孫休大會羣臣的時候，把孫綝問罪的。這樣做，最大的好處，就是當着羣臣的面了斷這一件事，毫無遮掩，用今天的術語來形容，就是「透明度甚高」，增加了羣臣的「凝聚力」，也同時有力地告訴大家，做這樣的事會得到怎樣的下場。

丁奉處理這件大事，乾脆利落，確實是有計略，有魄力，夠決斷，只一下子，就把孫綝和他的一黨都拿下，使自以爲得掌天下的他們動彈不得。

孫綝把持了朝政，十六歲的吳主孫亮毫無權力。

孫綝聽說全端等降魏，下令將他們家眷全部斬首。

皇上若用到臣時，臣一定萬死不辭。

一天，孫亮找黃門侍郎國舅全紀商量。
孫綝專橫殘暴，不除掉他，後患無窮。

你母親是孫綝的姐姐，這事千萬別讓她知道。
是。
你去點起禁兵，和將軍劉丞守住城門，我親自去殺孫綝。
遵旨。
全尚又告訴了妻子。
皇上要殺孫綝……
全紀回到家中，卻把這事告訴了父親全尚。

全紀的母親暗中派人送信通知孫綝。

孫綝立刻發兵殺了全尚、全紀、劉丞全家。

他又點起精兵，包圍了皇宮。
孫

孫綝廢黜了孫亮，另立孫權第六個兒子孫休爲帝。

這年冬天，孫綝送酒給孫休祝壽。
我不會喝酒，你帶回去吧！

孫休封孫綝爲丞相，表面上很信任他，內心卻時時提防着他。

孫綝喝醉了。
哼！我早晚也要廢了他……

孫綝氣呼呼地把酒帶到左將軍張布府中共飲。
皇上不識好歹，氣死我了！

第二天，張布把情況告訴孫休。
孫綝反意已露，怎麼對付他？

老將丁奉很有智謀和膽略，可以請他來商量。

孫休把丁奉召來。
陛下放心，我有一計，可爲國除害。
甚麼計策？快快說來。
陛下可請孫綝入宮赴宴，由張布帶武士埋伏……我去捉拿他的兄弟和家屬。
好！就這樣辦！

第二天，孫休召孫綝入宮赴宴。
……

孫綝剛想逃跑，被張布擒住。

正喝酒，張布帶武士進宮。
奉旨捉拿反賊孫綝。

這時，丁奉也率兵捉拿了孫綝的兄弟和家屬，奉命將全家斬首。

從此，孫休才親自
掌握了東吳的大權，
爲此，他重賞了丁奉
和張布。

七

鬥陣破鄧艾

求變之法和應變之道

東吳之孫休寫信給西蜀的劉禪，指北魏的司馬昭不日便會篡取皇位，然後便會出兵東吳與西蜀以壯大自己的聲威，宜早日作好準備。

於是，姜維先下手爲强，要六出祁山。

陣腳未穩卻能夠應變

他首先面對的對手，仍然是鄧艾。

鄧艾最善於觀察地形，他根據祁山的地脈形態，預先派人挖了地道，以突襲蜀軍的營寨。果然不出他所料，蜀軍紮營的地方就是在他所挖的地道之上。

鄧艾趁姜維陣腳未穩，當夜就調派軍隊分別從地面和地道進攻蜀軍，蜀軍因自己營寨未穩，不敢解下盔甲睡覺，面對突變，也不至於手足無措，加上姜維傳令下去，全體將士不許妄動，只管用弓箭射敵，守着自己的營寨。

正兵對陣得勝靠奇兵

姜維指揮得宜，使鄧艾亂姜維陣腳的目的未能達到；姜維不亂，鄧艾便不能取得大利了。

至此，鄧艾只得收兵，他說：「姜維深得孔明之法！兵在夜而不驚，將聞變而不亂：眞將才也。」

鄧艾頗語爲將之道，一個夜，一個變，能應付得好，這樣的軍隊便是訓練有素的了。兩枝軍隊交鋒，除非是實力懸殊，否則在一般的情況下，大家都是那幾套，要取得勝利，便是不輕易的。《孫子兵法》所重視的，也是奇兵。

在擺陣的基礎上求變

所謂奇兵，一個是利用黑夜，一個是製造突變——這二者是常見的。

從某個角度看，戰場之外也還是戰場，這裏說的是，有一些東西是共通的，日子總不會都是那末平常的，那就是說，我們得學會應付變局，學會應付「黑夜」裏的種種，這樣，我們才可以把日子過得好。

過了兩天，姜維與鄧艾鬥陣。我們記得，在孔明四出祁山那一次，也曾跟司馬懿鬥陣，結果是孔明取得了大捷。這次姜維作爲孔明的弟子，擺出了八卦陣，鄧艾也照樣擺出了一個，可是，一經接觸，姜維把陣法加以改變，鄧艾便被困在中間，在最危急之際，幸得司馬望殺來，在他的帶引下，鄧艾才得以脫身。

將計就計另軍襲其後

原來，這位司馬望，曾與崔州平和石廣元談及此陣，得到指點。崔州平和石廣元都是孔明生前的好友，在孔明還沒有出道的時候，便已經常常跟孔明交往，談論天下大勢，談論兵法；他們的本事雖然沒有孔明那末大，卻也並非等閒之輩。

接着，鄧艾來一個將計就計，就是以司馬望來跟姜維鬥陣，鄧艾卻另帶軍隊襲其後。

原來，鄧艾只是學得陣法，卻不懂得怎樣加以變化，我們可以說，他只是依葫蘆畫瓢，事實上，這是不管用的；司馬望說，他也學得不全，恐怕瞞不過姜維。鄧艾以爲，只要他瞞得一時，他便可以用計了。

棋高一着則縛手縛腳

學藝不精，吃虧的總是自己。鄧艾只懂得佈陣而不懂得變陣，卻就這樣與姜維相鬥，實屬不明智之舉；他要司馬望瞞姜維於一時，則本來還是可以的，因爲司馬望不至於完全不懂，可是，姜維早就料到了鄧艾的眞正用意，早就有了準備，於是，一方面殺得司馬望大敗，另一方面則叫襲後的鄧艾和他的兵將落荒而逃。

對鄧艾而言，這可以說是他出道以來的一個大挫

折。

鄧艾與司馬望商議之後，派人送上珠寶給西蜀的中常侍黃皓，要他在劉禪面前散佈流言，說姜維有異心，要投靠北魏，於是，劉禪便把姜維召回。姜維六出祁山，就此半途而廢。

如此相似說明了甚麼

孔明四出祁山而不果，也是由於司馬懿用計，使人在蜀主面前散佈不利於孔明的說話，使蜀主把孔明召回。

鬥陣勝而敗於謠言，世界上的事是會如此地相似的，這也說明了，以謠言來傷害對方，是多末的常見；兩軍對陣，講究陣法，以陣法取勝，這個做法也是常有的——同樣常見的，就是學藝精和技高者勝，這裏面，是絕對沒有運氣可言的。

明白了這一點，對我們來說，是很有用的。

蜀漢景耀元年，姜維率兵二十萬，再次出師北伐。

兵至祁山，立下左、中、右三庭大營。

哈！果然不出我所料！
原來，鄧艾算定姜維立寨之地，預先挖了地道，直通蜀寨。

這時，魏將鄧艾負責守衛祁山。
報！蜀兵在谷口下寨。

鄭倫，你帶五百精兵，從地道直入姜維左寨，從裏面殺出。
是！

你倆各領兵一萬，衝擊蜀營。
是！

半夜，鄭倫率五百精兵從地道中殺出

左軍將領王含、蔣斌弄不清魏兵從何而來，慌忙率兵抵敵。

王合、蔣斌抵敵不住，棄寨而走。
鄧忠、師纂由寨外率兵殺入。
鄧忠、師纂奪了左寨，向中央大寨殺來。
報！左寨已失……

你去告訴右營蔣舒、傅僉將軍不要慌亂，用弓箭守住營寨。
是！
不許妄動！敵兵到來，用弓箭射他！
姜維臨危不亂，立馬中軍帳前。
魏兵向大寨衝擊十餘次，都被亂箭射回
魏兵改攻右營，也同樣如此。

魏軍衝殺到天明，無奈只得收兵。
這不是你們的過失，是我不明地理，中了鄧艾的詭計。
王含、蔣斌收聚殘兵，來向姜維請罪。
姜維深得諸葛亮用兵之道，眞是將才。
鄧忠，師纂來見鄧艾。

姜維撥了軍馬，讓他們擇處立營。

第二天，姜維和鄧艾在祁山前門陣，雙方都擺了八卦陣。
我既能佈陣，當然能變化。
你雖會佈陣，但懂得陣法的變化嗎？
鄧艾把旗一招，八卦陣變出八八六十四個門戶。

變得雖不差，但你敢和我較量嗎？
有何不敢！

雙方傳了令，兩軍就互相圍攏來。
蜀

鄧艾帶衆將左衝右殺，突不出去。

突然，姜維把旗一招，蜀軍的八卦陣變成了長蛇捲地陣，把鄧艾圍在陣中。

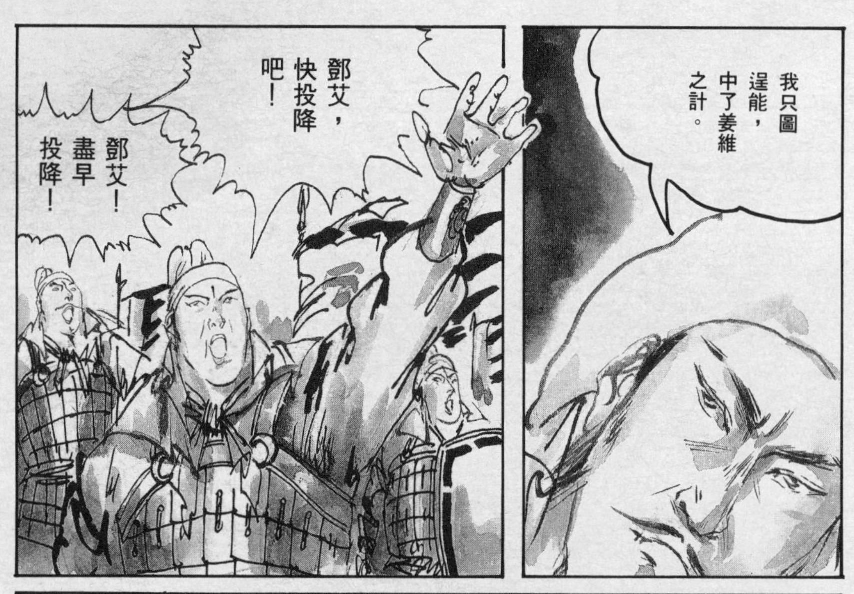
我只圖
逞能，
中了姜維
之計。
鄧艾，
快投降
吧！
鄧艾！
盡早
投降！

正在危急之時，
魏將司馬望領兵
拚死殺入，
救出鄧艾。
姜維乘勝，
在祁山的九座營寨。
奪取了鄧艾

鄧艾帶了敗兵，退到渭水南岸，重新立寨。

你怎麼懂得這陣法而救出我？
這是長蛇捲地陣。我年輕時在荆南遊學，學了一些，卻不甚精。

那好！明天你領兵去和姜維鬥陣，我抄小路去奪回舊寨。
好！

同意明日再戰。
於是，鄧艾派人到蜀營下戰書。

鄧艾約我明天再鬥陣法，你們知道他玩甚麼詭計嗎？
他一定前面鬥陣，後面偷襲營寨。
正是這樣。
你倆領兵一萬，去山後埋伏。
是！
姜維立即作了部署。

第二天，司馬望領兵與姜維鬥陣，司馬望在山前佈下了一個八卦陣。
鄧艾呢？怎麼你來佈陣？
鄧將軍自有妙計，不與你鬥陣。
甚麼妙計，不過去山後偷襲罷了！
姜維把令旗一揮，蜀兵從兩翼衝殺過來，將魏兵殺得大敗。
司馬望帶着敗兵，逃回渭南營寨。

這時，鄧艾和先鋒鄭倫領兵來偷襲山後。
廖化和鄭倫相遇，一刀將鄭倫斬下馬來。
廖化領伏兵殺出。
不好！
快退兵！

廖化和張翼兩面夾攻，魏兵大敗。
魏
張翼領伏兵殺出。
鄧艾，你往哪裏逃？
鄧艾身中四箭，逃回渭南營寨
放箭！

鄧艾派謀士黨均帶了金銀珠寶來到成都，結交黃皓。
鄧艾和司馬望商議退敵之策。
蜀主寵用宦官黃皓，可用反間計讓蜀主召回姜維。
好計！
後主聽信讒言，把姜維召回成都。

陛下有何要事，召臣回都？
大將軍在外太辛苦，召你回來休息，沒甚要事。
我不懷疑你，你仍回漢中，等待機會，再出兵吧！
臣已攻下祁山魏寨，正欲進取中原，如今卻半途而廢。我想陛下一定是中了鄧艾的反間計了！
姜維嘆息而出，自回漢中整頓軍馬，等待伐魏的機會。

八

弒曹髦

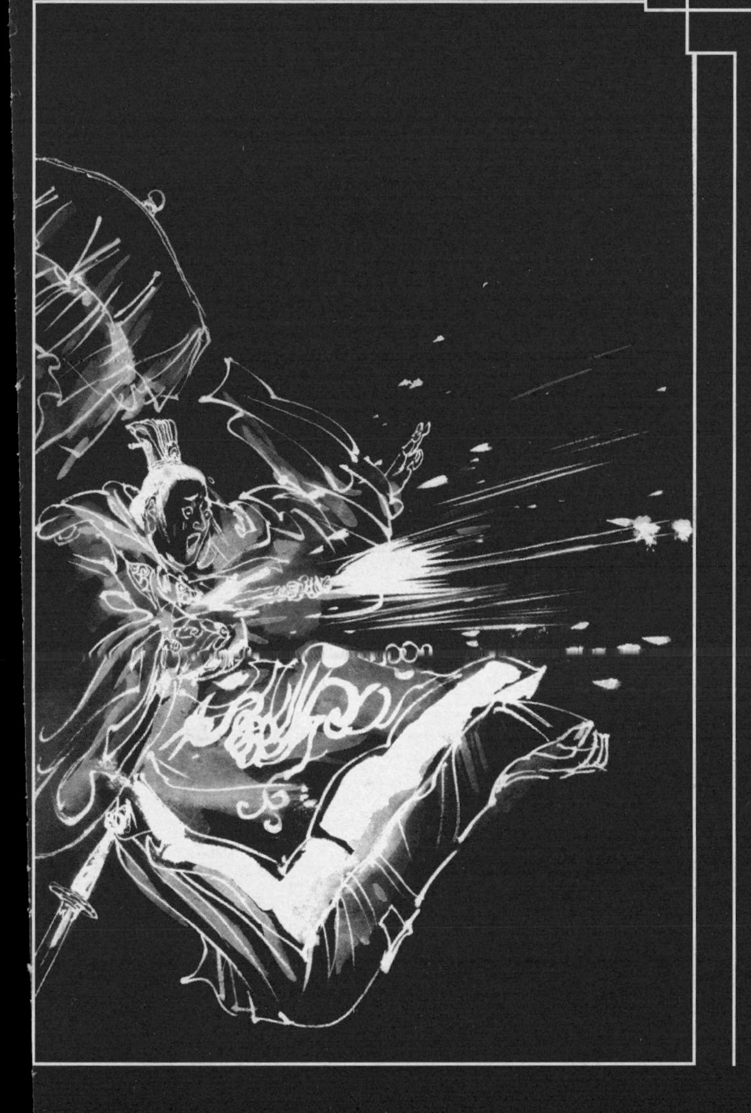

在悲劇面前的自我審視

姜維伐魏，因鄧艾的反間計得逞而退。孔明當年在西蜀的威望，是姜維所遠遠不如的，然而也同樣受到司馬懿的反間計所阻。

瞻前顧後原是不容易

孔明是六出祁山，姜維則是八次北伐，他們的立場，都是爲了國家（重興漢室），這一點都是不必置疑的，可是，出兵太過頻密，起碼有一個不利的地方，那就是因爲自己遠離朝廷，便予人以可乘之機。這個情況，連孔明都無可避免，更不要說在西蜀的根基較孔明薄弱得多的姜維了。

有一句話叫做「瞻前顧後」，僅僅的四個字，然而要做得到，卻是十分困難的。又說孔明，他出兵之前，都會先作一番佈置，但只要他不在朝廷，便總會出現這樣那樣的問題，如軍糧供應不上，如皇帝受到宦官的謠言所影響等等；姜維在各方面都不比孔明，問題也便會大得多——即使他在的時候，也未必鎮得住，況且孔明已去，年復一年，那個後主劉禪也變得愈來愈不像樣；如這次姜維給召回西蜀，他對後主說，今後不要聽小人之言，但皇帝也只是敷衍了事。

內部不協調的大價值

事情更向壞處發展，後來姜維八出伐魏，黃皓變本加厲，要找自己的心腹去取代姜維，姜維又奉後主之命退兵，他當着皇帝面前提出要殺黃皓，但愈來愈與黃皓混在一塊的後主並不以爲然，姜維還要因此而設法求自保呢！

姜維與後主不協調的事，很快便引起了司馬昭的注意。這是很自然的事，我們的競爭對手也就是如此地密切注意着我們的一舉一動，留意着與我們有關的任何蛛絲馬跡，這全是由於，他們可以在裏面找到於他們大有價值的東西。

司馬昭要起兵伐西蜀，這些年來，北魏由於主事者常常變動等原因，把孔明的和姜維的加起來，被攻打的次數便已經超過了十次，不可謂不多，這一次，司馬昭以爲機會終於來到了，便要出兵。

寫潛龍詩者並非潛龍

然而，他的心腹賈充告訴他，還不是時候，原來，由司馬昭親手扶起來的魏主曹髦也並不那末安於位，從種種跡象顯示，他也是要設法改變司馬昭掣肘的局面的。任何人都不想當傀儡（除了後來投降給司馬昭之子司馬炎的後主劉禪樂不思蜀之外）的，曹髦所寫的一首「潛龍詩」便明顯地有不安於位的意思。

這末一來，司馬昭也便得先按下出兵西蜀之意，而要對付曹髦了。他佩劍上朝，當面質問曹髦爲甚麼要寫那一首「潛龍詩」，並冷笑而去。

匹夫之勇與王者之風

司馬昭根本不把曹髦放在眼內，可是曹髦卻是忍受不住了，要起而討伐司馬昭。尚書王經勸他不可，因爲不是時候，司馬昭勢大，而曹髦尚未能有豐足的羽翼，如昔日的魯昭公忍不了大夫季孫氏掌有大權，派兵攻打之，但由於力不如人，便兵敗，得逃到齊國去。王經的這一番規勸，不可謂無力的了，但曹髦就是聽不進，他表示，「是可忍也，孰不可忍也」，「朕意已決，便死何懼」。

曾經有人說，曹髦具有「帝王之相」，然而，我們光是看他的這番匹夫之勇，便已經完全可以否定那一個說法了。匹夫之勇與王者之風是絕對的兩回事。王者之風是甚麼呢？如果具體地說，那末，王者之風就是不逞一時之勇，不把一時之氣當作是一回事，目光遠大，能夠把遠遠近近的能人異士都用得上和用得好，結果便是成就了那一樁大事。

如此不是笑話的笑話

曹髦與這個要求委實是相差太遠了。他帶着宮裏的三百多人，便「鼓譟而出」，王經伏於輦（王帝專坐的車子）前，再度哭諫：「今陛下領數百人伐昭，是驅羊而入虎口耳，空死無益。臣非惜命，實見事不可行也。」曹髦卻說道：「吾軍已行，卿無阻擋。」

曹髦當然不會以爲，他在說一個笑話，雖然那實在是笑話，那三百個烏合之衆，在曹髦眼裏，竟然就是軍隊了，他竟然以爲可以用這樣的一枝軍隊來對付司馬昭了！

還有，我們是否能夠同意，這樣的不是笑話的笑話，在我們的周圍，甚至在我們的身上，也竟然是一次接一次地上演的呢？

曹髦不是小孩子，不是普通人，他是決策者！

這個時候，賈充也引着千鐵甲禁兵殺過來了，只一個照面，只一下子，曹髦就被殺死了。事情必然是如此的，問題是，我們所知道的一些必然要發生的事，就一定不可以阻止它的發生麼？一些極大的盲目性，就一定不可以改變麼？我們不要輕易地給這樣的問題下答案，因爲，愈是輕易，那末，接着到來的，便是一場愈大的悲劇！

司馬昭得知蜀國君臣不和，找心腹賈充商量。
我親率大兵伐蜀，怎麼樣？
不行！大將軍不能輕易離京。
爲甚麼？
皇上對大將軍不很信賴，離京有危險。
你怎麼知道？
傷哉龍受困
不能躍深淵…
…蟠居於井底
鰍鱔舞其前
賈充把皇上最近作的一首詩交司馬昭看。

事不宜遲！我願爲大將軍効力……
好！你去辦！

他竟把我比作泥鰍、黃鱔，我得廢了他！

幾天後，司馬昭率羣臣朝見魏主曹髦。
大將軍功德無量，請陛下封他爲晉公。

賈充到處活動，創議請魏主加封司馬昭爲晉公。

我父子三人保住了曹家天下，難道不配做晉公？
司馬昭持劍上前。
曹髦默然不答。
陛下在《潛龍》詩裏，把我們比作泥鰍黃鱔，這像話嗎？
曹髦答不出話來。
大將軍說的是，那就照辦吧！
曹髦唯唯答允。
司馬昭冷笑下殿。

曹髦回到後宮，召侍中王沈、尚書王經、散騎常侍王業一起商量。
司馬昭欺人太甚，請你們幫我討伐他！

我已無法忍耐！寧死無悔！
司馬昭掌着兵權，陛下不可自取其禍。

曹髦說完，進內宮去稟告郭太后。

作臣子的不能
爲皇上分憂，
反要去告密，
安的甚麼心？
王尚書，
我們快去
稟告
大將軍，
免得受累。
大將軍，
皇上
……
王沈、王業見王經
不聽，一起出宮而去。
你馬上
領兵
……
是！

曹髦令護衛焦伯，集合了三百多人，出宮去討伐司馬昭。

王經跪在曹髦車前勸阻。
陛下帶這點兒人去討伐司馬昭，等於把羊羣趕入虎口……
箭在弦上，不得不發。你不必阻擋！

剛走不遠，賈充帶着成倅、成濟率禁兵攔住了曹髦。

我是皇帝，你們想造反嗎？
禁兵聽了，嚇得都不敢向前。

成濟，你立功的時候到了，快動手。
要活的，還是死的？
大將軍有令，不要活的！

成濟縱馬上前，
一槍刺死了曹髦。

王經大罵。
把他拿下。
逆賊，你們竟敢弒殺皇上！

焦伯挺槍來戰成濟，
被成濟一槍刺死。

賈充派人報知司馬昭。

成濟、成倅成了替罪羊，被滅門三族。

司馬昭佯裝大哭。
皇上……

司馬昭又派人把王經全家老少抓來。

王經全家被斬。
人總是要死的。爲反對奸賊而死，值得！
娘，我害了你了。

司馬昭又假惺惺地用王禮安葬了曹髦。

周文王自己沒有稱王，魏武帝自己沒有稱帝，我學他們。
大將軍，魏國氣數已盡，你不如自己稱帝。
司馬昭望了望身邊的兒子司馬炎。
不久，司馬昭立曹操的孫子、常道鄉公曹奐爲新皇帝。從此，曹魏的大權，完全掌握在司馬昭手中。
我懂了。你把帝位留給你兒子……
哈哈哈……你們不懂！

九

蜀國滅亡

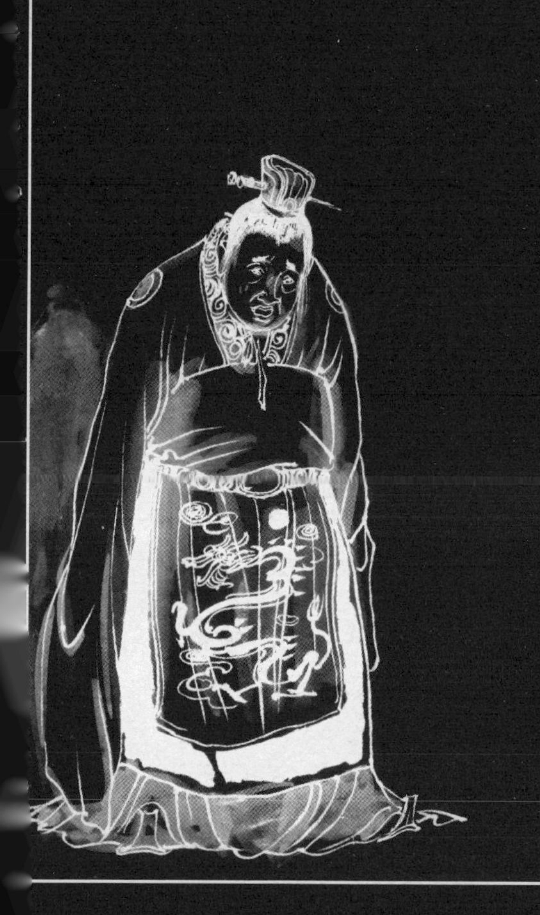

一場悲劇的完結

姜維八度北伐而不果，加上後主劉禪受到宦官黃皓的擺佈，自己又沉迷於酒色，不理朝政，一旦處理起來又有失法度，於是「賢人漸退，小人日進」，這樣的一個國家，自然是不得不走下坡路的了。

距離帶來的轉圜之機

在如此這般的一個情況下，姜維也只得退而求自保了。姜維的退處，是在隴西，除了可以種麥以積軍糧外，最大的好處，是「在外掌握兵權，人不能圖，可以避禍」。姜維握掌兵權，可是，如果留在皇帝身邊，便未必得保安全，因爲黃皓早就覬覦①他的兵權；這樣，兵權不能丟，但人不在朝廷，便是最好的對策了。

皇帝變得昏庸，距離太近，那肯定是危險的，因爲那便是變得沒有了轉圜的餘地；有了距離，那才有轉圜之機。劉禪有七子，當劉禪要投降的時候，其五子劉諶堅決反對，在羣臣面前與劉禪激辯起來，結果後主「令近臣推出宮門」，劉諶沒有轉圜之地，到了最後，便是一家人自殺以報國、報先祖。

鄧艾鍾會二子不合兵

另一方面，司馬昭殺了曹髦之後，復立曹操之孫曹

①覬覦：非份的希冀。

璜（後改名爲曹奐）爲帝，曹奐封司馬昭爲丞相晉公。這個時候，司馬昭便要出師西蜀了。

司馬昭命鍾會爲鎮西將軍，鄧艾爲征西將軍，兵分二路，攻打西蜀。司馬昭原本是想以鍾會作爲鄧艾的副將，合兵攻西蜀，但鍾會提出分兵二路，就是不要居於鄧艾之下。無疑，鍾會也是能人，他爲了牽制西蜀與東吳，先命人在五個地方大造船隻，讓東吳以爲，北魏是有伐吳的準備，這樣，北魏伐西蜀，西蜀向東吳請救兵，東吳也不敢動彈了。

氣量比本事更爲重要

可是，鍾會和鄧艾此二子，卻是互不相容，不僅是互相競爭，更是互相對付，如果劉禪不是那樣的無能，如果姜維不是只能偏安於一隅，那末，鄧艾和鍾會之間的空間，便是大可利用的了，說不定西蜀更是因此而可保。西蜀亡了之後，姜維利用鄧艾和鍾會之間的矛盾，也幾乎可以起死回生呢！

鍾會和鄧艾的本事，就是受制於自己的氣量；其實，可以說，到了某個程度，氣量是比本事更爲重要的了——或者說，氣量就是一種大本事。

大氣量是另一個層面的東西，有了大氣量，上到了另一個層面，眼界豁然開朗，心胸舒暢，便甚麼東西都容得下，只是鍾會和鄧艾都遠遠去不到這末一個境界。

諸葛瞻父子臨危受命

處於「危急存亡之秋」，劉禪終於想到了諸葛亮（孔明）的兒子諸葛瞻，諸葛瞻臨危受命，帶領成都的七萬兵馬，要與鄧艾決一死戰。諸葛瞻的兒子諸葛尙爲先鋒。

諸葛瞻曾經因爲劉禪受惑於黃皓，故託病不出，此際卻是全力以赴，兩度殺退了鄧艾的兵馬，後來鄧艾用上了奇兵，才得以困住了諸葛瞻父子；最後諸葛瞻父子雙雙戰死沙場。

諸葛瞻失利的消息傳來，劉禪與身邊的大臣商議應變之道。由於他的身邊多的是小人，連他的兒子劉諶也容不了，故此餘下的，便只有投降一條路了。

欠缺韜略也欠缺魄力

西蜀至此滅亡，劉備等人辛辛苦苦建立的基業，就這樣倒了下去。建基立業固然是不容易的；守業更不容易，在劉禪而言，那是由於他沒有經過建基立業的階段，更重要的，是他根本不是守業和繼續把事業發展壯大的人才，他沒有所需的韜略，沒有所要的魄力，但是

劉備卻要把皇位傳給他——劉備說孔明可以取而代之這樣的話，不過是要試一試孔明的忠心罷了！

對西蜀而言，自劉禪開始，那根本就是一場悲劇揭開了序幕。

姜維得知魏國內亂，連續兩次出兵北伐，都將鄧艾打得大敗。
姜
鄧艾再次用離間計，派黨均到成都用珠寶賄賂後主寵信的宦官黃皓。
黃皓派人到處散佈謠言，說姜維要降魏。
姜維對陛下不滿，有傳言說……
黃皓向後主進讒。

後主昏庸，連下三道詔書，召姜維回成都。

姜維問秘書郎郤正。
你知道皇上爲甚麼召我回來嗎？
黃皓受了鄧艾賄賂，屢進讒言……
這個小人，我非殺了他不可！
姜維來見後主。
黃皓奸巧專權，不殺了他，蜀國一定會亡在他手裏！
後主讓黃皓向姜維賠禮。
他不過是個奴才，你不必擔心。大將軍看在我面上，饒了他吧！

將軍可到
沓中屯田
避禍……
那怎麼辦？
黃皓弄權，
一定會
報復你。
你如遭到
暗算，
國家就
危險了。
姜維無奈，出宮和
郤正商量。
姜
姜
蜀
蜀
姜維奏準後主，回漢中
安排好防務，帶領八萬
精兵，往沓中而去。

他派人通知鄧艾，
進攻沓中，絆住姜維。

報！蜀國君臣不和，姜維在沓中屯田避禍……
伐蜀的時機到了。

司馬昭封鍾會爲鎮西將軍。
你領兵三十萬，從陽平關直搗漢中。
是！

我知道。但他確是個將才，破蜀必得靠他。蜀亡後，他即使想謀反，也反不起來。
鍾會心高氣傲，日後必反，不能讓他獨掌大權……
謀士邵悌勸諫。
主公眞把鍾會捏在手心裏了。
爲甚麼？
蜀人亡了國，喪失了勇氣；魏國兵將得勝後急於回鄉，更不會依附他！

鄧艾也率兵來到沓中，
和姜維交戰。

鍾會率領大軍，來到蜀境，
很快就攻下了南鄭和陽安
兩關，得下了漢中。
鍾

姜維兵寡，屢戰不勝，
只得退守劍閣天險。
蜀
姜

姜維派人到成都向後主
告急，後主卻聽信黃皓
讒言，不肯發兵。

我率軍偷渡陰平小路去攻成都，逼姜維分兵，將軍乘虛攻取劍閣。
將軍認爲應怎樣攻取劍閣？
鍾會、鄧艾會兵劍閣。
鍾會微微竊笑。
妙計！祝將軍成功，我在這裏等候你的捷報。
鄧艾回營。
鍾會自恃取了漢中，居功自傲。我非用奇兵攻下成都不可。

大將軍，要提防敵人從陰平小路偷襲成都。
劍閣守將董厥也想到了這一點，提醒姜維。

鄧艾卻不畏艱險，率領三萬多精兵，由陰平小路進發。
姜維卻不以爲然。
那條路空身都很難走，敵人無法偷渡。
鄧艾令兒子鄧忠率三千人馬在前開路架橋，行程十分艱苦。

走了二十多天，行程近千里。這天來到摩天嶺時，鄧艾手下只剩二千多人了。

他每走一百多里，便留下三千士兵立寨駐守，以便前後接應。

摩天嶺山高險峻，
他們奮不顧身，
攀着葛藤往山頂爬去。

過了這嶺，便是江油城了。棄馬上山。

鄧艾下令將士們把兵器捆好，一捆捆擲下山去。
到了山頂，卻是懸崖峭壁，沒有下山的路。
路是人走出來的。我們一定要設法下山。
將士們紛紛效尤。
他們又用長繩縛住懸崖上的樹幹，鄧艾身先士卒，第一個蕩下山崖。

鄧艾整頓軍馬，
星夜向江油進發。

魏兵從天而降，
江油守將馬邈投降。

鄧艾把從陰平小路來的
人馬都調到江油會齊，
向涪城進攻。

涪城守將毫無防備，
也開城投降。

經郤正推薦，後主派諸葛亮的兒子諸葛瞻領兵七萬去守綿竹要塞。

報！涪城失守，魏兵離成都只有一百六十里了。
啊！
後主嚇得驚慌失措。

幾經激戰，諸葛瞻兵敗自刎，綿竹失守。

鄧艾乘勝進兵，直逼成都。

兵臨城下。
後主劉禪不戰而降。

你下詔令姜維投降！
好的。
劉禪派太僕蔣顯把詔書送到劍閣前線，姜維大驚失色。
眾將聽說劉禪投降都氣哭了
我們寧願戰死，決不投降！

第二天，姜維率軍向鍾會投降
亡國之將，前來乞降。

你們不必憂愁，我有一條假降之計，可恢復蜀國……
好計。

是！
好！你仍率領蜀中人馬，聽我指揮。
鍾會毫不懷疑姜維。

鄧艾、鍾會派人
向司馬昭報捷。
司馬昭高興萬分。

司馬昭
明裏派人封
鄧艾爲太尉，
鍾會爲司徒，
暗中卻命令
鍾會去收押
鄧艾。
司馬昭又接到
監軍衛瓘密報，
說鄧艾居功自傲，
有謀反之意。

他親自率領大軍，
來到鄰近蜀地的長安，

司馬昭對鍾會也不放心，
又派人送密信給監軍衛瓘，
要他監視鍾會。

你的兵力多鄧艾幾倍，怎會對付不了鄧艾？

他怕我對付不了鄧艾。
鍾將軍，你知道晉公爲甚麼要屯兵長安嗎？
姜維乘機策反。

將軍何不在西川創業，我願助將軍一臂之力！
好！我立刻去成都……
哦！他是衝着我來的！我不能束手待斃！

鍾會先派監軍衞瓘到成都逮捕了鄧艾父子。
他又帶姜維到成都，接收了鄧艾的全部兵馬。
次日元宵節，鍾會宴請魏國衆將。
我奉郭太后遺詔，起兵討伐司馬昭，同意的請簽名！
衆將面面相覷，在鍾會的威逼下勉強簽名。

監軍衛瓘得到消息，帶兵殺進宮來救護衆將。

鍾會怕發生變故，把衆將全部監禁起來，準備坑殺。

混戰中，鍾會被亂箭射死。
我費盡心機，原想恢復蜀漢，卻功虧一簣！
姜維身受重傷，拔劍自刎。

鄧艾父子也被衛瓘派人殺死。

十天後，司馬昭派賈充率軍來到成都，出榜安民，才安定了局面。

賈充令衛瓘留守成都，把後主劉禪及衆多蜀國官員押回洛陽。

司馬昭封劉禪爲安樂公，蜀國滅亡。

十 三國歸晉

於今可不戰而克敵矣

劉禪降鄧艾，劍閣的姜維得知這一個消息，即用計，降於鍾會，並表示只降鍾會，不降鄧艾。

爲何投鍾會不投鄧艾

姜維此舉，加深了鍾會和鄧艾之間的矛盾。姜維更和鍾會結爲兄弟，使鍾會不會懷疑他，矛頭直指鄧艾。

姜維投向鍾會，主要的一個原因，是由於鄧艾和鍾會二子分爲二路進兵西蜀，鄧艾走險道，先到成都，使鍾會處於下風，鍾會便得設法加强自己的實力，對付鄧艾。

投向鄧艾，姜維得走一段路程，況且在姜維過去八伐北魏當中，曾多次跟鄧艾交手，可以說彼此成爲了宿敵，最主要的，是鄧艾大佔上風，這個時候姜維投向他，對鄧艾來說，不過是錦上添花而已，作用是大減的。

螳螂捕蟬黃雀卻在後①

事實上，鄧艾在連連得勝之後，對司馬昭的話也不那末聽得進了，司馬昭大忌，便命士兵人數多於鄧艾六倍的鍾會對付鄧艾（鍾會即命人捉下了鄧艾父子），可是，與此同時，司馬昭又親自起兵，表面上是要對付鄧

①螳螂捕蟬，黃雀在後：比喻算計別人的人，也在他人的算計之中。

②敗軍之將可以言勇：是「敗軍之將不可言勇」（敗軍的將領是沒有資格談論勇氣的）的反用。

艾，其實是要對付鍾會。

司馬昭此舉，也是出爾反爾，本來，據他的分析，鍾會即使在西蜀得勝，蜀人亡國，在那末一種心態下，也不可能幫得了鍾會甚麼；鍾會帶得勝之兵回朝，自然會得到獎賞，勝兵也是不可能造反的。也許，司馬昭因爲鄧艾的反意，故要同時提防鍾會，否則，鍾會對付了鄧艾，勢力更大，司馬昭不加提防，鍾會便有可能爲所欲爲了。

敗軍之將而可以言勇②

可是，司馬昭那樣做，卻讓鍾會看到，司馬昭是連他也信不過的。鍾會大驚，姜維乘機對他說：「君疑臣則臣必死，豈不見鄧艾乎？」到了這一步，鍾會和姜維已經可以說是同仇敵愾了。事情到了這裏，都是順着姜維的思路而發展的，然而，到了最是關鍵的時候，姜維的心臟病突然發作，被逼自殺而死，鍾會也同時被射殺。接下來，鄧艾父子也被殺了。

鄧艾和鍾會之間的矛盾，姜維是把握得很好的，也因爲這樣，使劣勢漸漸變成優勢，這是很不簡單的。「敗軍之將，不可以言勇；亡國之大夫，不可以圖存。」這個說法，自有其道理，爲甚麼在姜維身上不生效呢？劉禪降敵的消息傳到劍閣，姜維也是「大驚失語」的，那種震憾不可謂不大；其帳下的將士又是怎樣的呢——

帳下衆將聽知，一齊怨恨，鬚髮倒豎，拔刀砍石大呼曰：「吾等死戰，何故先降耶！」號哭之聲，聞數十里。

姜維所憑的，完全是一股巨大的意志力，這樣才能孤身深入敵陣，與敵斡旋，並且能化被動爲主動。

因坐上帝位而變了樣

過了不久，司馬昭也中風死，由他的長子司馬炎接任晋王，並逼曹奐退位，司馬炎自此當上了晋帝。

東吳的孫休知道晋帝必有吞吳之心，憂慮成疾，後來更病重而死，接任的孫皓，初時大家還評爲「才識明斷，堪爲帝皇」，可是才僅僅過了一年，便「兇暴日甚，酷溺酒色，寵幸中常侍岑昏」。這末一來，他也便走上了劉禪所走過的路了。

皇帝這個位，確是不好坐的，《三國演義》裏，在那前後差不多是一百年的時間之內，有多少人因爲是坐上了帝位而變了樣的？我們算一算，便肯定會怵目驚心。

羊祜清廉一心只爲公

權力可使人變樣，然而，司馬炎的一位都督羊祜卻有另一番做法，他臨死前猶向司馬炎推薦右將軍杜預，司馬炎乘此機會，問他：「舉善薦賢，乃美事也；卿何薦人於朝，自焚其奏稿，不令人知耶？」羊祜答道：「拜官公朝，謝恩私門，臣所不取也。」這裏說的是，羊祜每以奏稿向司馬炎推薦某個位置的適當人選之後，都會把奏稿燒掉，他這樣做，是由於不希望人家到他的家裏表示多謝，因爲，如果那樣做，是總會帶上各種禮物的。

羊祜把這話說完之後，便辭世了，司馬炎大哭而出。羊祜死前還對司馬炎說：「孫皓暴虐已甚（前後十餘年，殺忠臣四十餘人），於今可不戰而克。若皓不幸而歿，更立賢君，則非陛下所能得也。」

大智大勇者談笑用兵

孫皓的暴虐，對晉來說，卻是一樁好事，羊祜便看到了這一點。

與此同時，羊祜的清廉，一心爲公，對司馬炎又帶來了一定的影響。無論如何，三國歸晉之後，司馬炎還是深深懷念羊太傅——羊祜的。

《三國演義》的卷首語是這樣的一闕詞：「滾滾長江東逝水，浪花淘盡英雄。是非成敗轉頭空：青山依舊在，幾度夕陽紅。白髮漁樵江渚[3]上，慣看秋月春風。一壺濁酒喜相逢：古今多少事，都付笑談中。」

這闕詞，自有一種豁達的情懷；這裏面，也自有一種規律，即如三國歸晉，也其實是一種規律，西蜀爛了，東吳更是爛透了，再也支撐不住，就看誰來收拾了。大智大勇者，就能看到這種規律，加以引導，那便是「分久必合」，信焉！

③江渚：江中的小塊陸地。

司馬昭滅蜀後，魏主曹奐封他爲晉王。
第二年，司馬昭中風病亡，由他的兒子司馬炎繼承晉王的爵位。
司馬炎想做皇帝，和手下一起商量。
曹奐無能，天下不寧，你們認爲怎麼辦好？
賈充等勸司馬炎廢了曹奐自立。
曹丕既可以魏代漢，殿下何不以晉代魏。
好！就這樣辦！

第二天，司馬炎帶劍入朝，威逼曹奐讓位。
黃門侍郎張節斥責司馬炎。
你是個纂國的奸賊！
你竟敢罵我！來人，打死他！
張節被武士活活打死。

曹奐無奈，下令造了受禪台，把帝位禪讓給了司馬炎。

曹奐嚇得跪下向司馬炎求饒。
你要活命，就快讓位！

曹奐，我封你為陳留王，到金墉去居住，永遠不許入京！
曹奐哭着離京。

司馬炎改國號為晉，史稱晉武帝。魏國滅亡。

司馬炎篡魏的消息傳到東吳，吳主孫休突發急病，不久就死了。
丞相濮陽興和左將軍張布立孫權的長孫烏程侯孫皓爲君。
孫皓生性殘暴，貪酒好色，不聞政事。
濮陽興和張布規勸孫皓，孫皓火起，竟下令把二人殺了。

孫皓又崇信術士，常問卜天下大事。
陛下明年能到洛陽去作皇帝……
孫皓信以爲眞，與中書丞華覈商量，準備起兵攻打洛陽。
現在國弱民窮，輕動干戈，將自取滅亡。
孫皓大怒，把華覈趕出殿門。
可惜錦綉江山，不久將屬於他人了！
於是，孫皓派鎮東將軍陸抗率兵進駐江口，準備伐晉。

東吳派
陸抗屯兵
江口
……
陸抗到了江口，知道國弱民窮，只在境內練兵，不許士卒越境生事。
司馬炎召衆官商議。
孫皓凶暴失政，不得民心。陛下可令都督羊祜堅守襄陽。待他國中有變，再行征伐！
羊祜接到命令，在襄陽一面佈置守備，一面開墾荒地，充實軍需。

兩位名將自戎邊，
雙方相安無事。

陸抗足智多謀，不能輕舉妄動！
目前吳兵防守懶散，我軍何不趁其不備突襲，必可獲勝。
不久，孫皓派使者來見陸抗。
皇上令你立即進兵伐晉！

陸抗派人給孫皓上了奏章，
說晋强吳弱，不可攻伐。
羊祜得到消息，
立刻向司馬炎
請求出兵伐吳。
孫皓下令撤了陸抗
的兵權，派左將軍
孫翼統領軍馬。
賈充極力勸阻，司馬炎
才暫時不同意羊祜出兵。
現在
凉州兵變
未平，
不宜出兵
伐吳！

咸寧四年，羊祜因年老體弱，入朝請求辭職回鄉養病。
你有甚麼安邦之策，可以講來。
孫皓暴虐無道，現在伐吳必勝。若孫皓一死，就沒現在容易了。

好！那就請你帶兵伐吳。
我年老體弱，已不能當此重任了。
不久，羊祜病危。司馬炎親去探望。
陛下，機不可失。右將軍杜預很有才幹，可擔當伐吳重任。

司馬炎立即拜杜預
爲鎮南大將軍，
率兵伐吳。
杜
他又令益州太守王濬
率水軍沿江東下，
會攻東吳都城建業。
報！
司馬炎
派水、
陸兩路
大軍進犯。
孫皓大驚，派丞相張悌
率軍前去迎擊。

張悌派伍延爲都督，
率領水軍統領陸景、
驃騎將軍孫歆出兵迎敵。

張悌和左將軍沈瑩、
右將軍諸葛靚駐守
牛渚隨後接應。

吳軍和晉軍在樂鄉相遇，
一場激戰，吳兵大敗伍延，
陸景、孫歆陣亡。

杜預佔領了
江陵，一路
勢如破竹，
攻佔了武昌。

沅、湘一帶，
直至廣州諸郡，
望風而降。

報！吳軍在大江水下立鐵錐阻航，水面橫鐵索攔江。
王

當時，王濬也率水軍順流東下。

王濬肅清了上游的吳軍，到武昌和杜預會師，直逼吳都建業。
杜
晉

王濬趕造了數萬木筏，上縛草人，澆上油，點上火，順流放下，掃除了暗錐，燒斷了鐵索。

王濬率水軍攻下張悌駐守的牛渚，張悌死於亂軍之中。

公元二八〇年，晉軍攻破吳都建業，孫皓歸降。司馬炎封孫皓爲歸命侯，令在洛陽居住。六十一年三國分裂的局面宣告結束。